JN039930
読んだふりしたけど ぶっちゃけよく分からん、あの名作小説を面白く読む方法
三宅香帆
笠間書院

まえがき ――読んだふり、卒業！

読んだふりはしたけど、ぶっちゃけ、よく分かんなかった！

……ハイ、正直に手をあげてください。あなたにとって、そんな小説はありませんでしたか？

正直言うと、私には、ありました。それも大量にありました。

私は昔から文学少女、学生時代も日々「本が好き！」と言ってたのにもかかわらず。

実は『カラマーゾフの兄弟』も、『金閣寺』も、『うたかたの日々』も、『ドグラ・マグラ』も……手を伸ばしては、「よ、よく分からない」と敗北感をつのらせて本を閉じていたんです。

『カラマーゾフの兄弟』も、『金閣寺』も、『うたかたの日々』も、『ドグラ・マグラ』も、傑作だ、ってみんな言ってるのに。

夏目漱石とか、芥川龍之介とか、サリンジャーとか、みんなかっこよく読んでるのに。私が読んでみても、「ぶっちゃけよく分からん」以外の感想が浮かばない。

ちょっと落ち込んだときもあります。「私に読解力がないんだろうなあ」って。

みんながかっこよく読んでる名作を楽しめるくらいの能力が、私にはないんだな。

私がアホだから、読めないいんだ。


……昔の私は殊勝にも（！）そう思っていたのですが。

しかし。日々いろんな本を読むうちに、いつのまにか名作と呼ばれる、昔は難しいと思っていた小説もたくさん面白く読めるようになったんですよ。

『カラマーゾフの兄弟』も、『金閣寺』も、『うたかたの日々』も、『ドグラ・マグラ』も、好みこそあれ、どれも面白いなあ、やっぱり名作はすげーなあ、傑作だなあ、と思えるようになったわけです。


昔の私と、今の私、いったい何がちがうのか⁉

今の私が、アホじゃなくなったのか⁉　読解力をつけるトレーニングをしたのか⁉

……残念ながら、答えはノーです。

今の私は、べつに頭がよくなったわけでも読解力が上がったわけでもなく。

ただ、昔よりもちょっと、「小説を面白く読むコツ」を理解しただけなんです。

これを読んでるあなた、だいたい分かったでしょう。本書で言いたいことはひとつです。

小説を面白く読むための、ちょっとしたコツって、あるんですよー!!

そんなわけで、今の私が習得した「小説を面白く読む方法」を本書ではお伝えしようと思ってます。国語の教科書では教えてもらえなかった、「名作小説をほんとうに面白く読む方法」です。

ちょっとここからは余談になるのですが。

「小説の書き方」の本は本屋にたくさん売られていますが、「小説の読み方」の本はなかなか本屋で見かけることはありません。不思議だと思いませんか？　ものを書く人よりも読む人のほうが、ずっと多いはずなのに。

でもこれって、「小説を書くのはめっちゃ難しいけれど、読むのは誰にでもできる」と思われているからじゃないでしょうか。

私は、この風潮、おかしいやろ！　と思っております。小説を分かったふりせず面白く読むのって、実はコツが必要な行為なんだぞ！　と。

たまに読むことを「インプット」、書くことを「アウトプット」と呼ぶ人がいますが。この呼び方を使うとするならば、いいアウトプットをする技術があれば、当然、いいインプットをする技術もあるはずでしょう。面白く読めるようになってこそ、面白く書けるもんですし、ね。

本書ではせいいっぱい、あなたに「読むこと」の面白さ、楽しさ、愉快さ、そしてなにより面白く楽しく愉快に読めるようになる技術をお伝えしたいな、と思ってます。

本書は二部構成になっておりまして、一部はエッセイ的にざっくりと「面白く小説を読む技術ってどういうもの？」、二部はいろんな名作小説を取り上げながら「この小説って、こう読めば面白く読めるんですよ」と書いてあります。なので、本の順番通り一部から読んでも、反対に二部から読んであとで一部のエッセイを楽しんでも、または二部の気になる小説の解説文から読んでも、どこから読んでも大丈夫です。あとがきから読んでもいいよ！

私としては、「せっかく名作小説にチャレンジしたけど、あんまり面白くない、ていうかぶっちゃけよく分からんかった……」というちょっと不幸な読書体験（昔の私がした経験なわけですが）をひとつでも減らすべく、面白い小説読書の方法をお伝えできたら嬉しいな！ と思っております。

名作小説、読んだふり、卒業！ そして、愉快で奇妙で刺激的でなんだか抜け出せない小説読書の世界へ、ようこそ〜！

目次

小説の読み方基礎講座

1 ぶっちゃけ、なんで小説って分かりづらいんだろう？

本書は、「小説の読み方入門」をテーマにした本である。って誰でも分かる。だって、この本のタイトルに書いてあるから。これって意外と面白い話だ。あなたは、この本の内容をなんとなく分かっているから、読もうと思ってこの本を手に取る。

でもこれ、小説だとあまりない現象なのだ。小説は、「タイトルだけではどんな話か分からない」本だから。

たとえばこの瞬間、あなたが小説を書店で買うとすれば。それは、「タイトルで惹かれても、中身が面白いかどうかは分からない」という博打をしているも同然だ。

タイトルやブックカバーといったパッケージを見ても、「本当に自分が求めているもの」がそこにあるかどうか分からない。

もちろん映画や漫画やドラマだって同じだ。ようは世の中にあるフィクションは、一律「タイトルから中身が連想できない」という商品としておそろしい欠陥を抱えている。が、映画は大々的に予告を打って、広告費をつぎこんで「どんな話か」を知らせている（最近の予告ってほんっとうに結末まで知らせるんちゃうか、と見てるこっちがハラハラするくらいあらすじのすべてを公開しますよね）。漫画は雑誌という名の「単行本以前に評判が口コミで知れ渡りやすい」仕組みが存在する。しかも今はネットで一部を無料公開してる漫画が多い（私もつい、漫画の第一話や二話を読んで「面白いやんけ！」とそのまま単行本購入コースに至ったことがある）。そしてドラマは無料（視聴者にとっては）。視聴者は一話だけ見てやめることもできる。

が！　小説だけが！　今時珍しいくらい、小説の中身を知らせない。びっくりするくらい、私たちは、自分の買う小説の中身について、情報を知らずに購入する。

『ノルウェイの森』[i]と聞いて、60年代の大学生の恋愛物語（あとビールが飲みたくなる小説）だと誰が想像できるだろうか。『舞姫』[ii]と聞いて、誰が舞姫をこっぴどく捨てる話だと思いつくことができるだろうか。

小説のタイトルは、読者に小説の中身を知らせるものではない（ライトノベルというジャンルが特異的にこのハードルをゆうゆうと越し、まさに「中身がよく分かる長めのタイトル」を出してはいるんだけど)。

たいていの名作と呼ばれる古典的小説は、タイトルから内容が分からない、おそろしい商品である。

じゃあ反対に、タイトルから内容が想像できる本って何だろうか？　たとえばビジネス書。実用書。あるいは、自己啓発本。

自己啓発本って、本の中でもぶっちぎり「タイトルから中身が想定できる」ジャンルだ。というか、分かりやすいタイトルじゃないと買ってもらえなさそう。たとえば有名な自己啓発本の『7つの習慣―成功には原則があった！』[iii]なんて、タイトルですべて本の内容のオチまで言ってしまっている。この本を買う読者はもちろん「成功する原則とされる7つの習慣が知りたい人」だろうし、本の中身とタイトルの印象がちがった！　なんて齟齬もないはずだ。

そんなわけで、まったくちがうジャンルだと思われる小説と自己啓発本だけど。実は、小説も、ある種、自己啓発本と同じ効用があるのではないか。そう私は思っている（この自己啓発本の話、続くと思ってなかったでしょ。続くぞ）。

こんなことを言っては、小説スキで自己啓発本キライな人（そんな人いるのか？）に怒られそうなんだけど。それでも私は、現代で自己啓発本が担っている役割と、小説が担っている役割は、同じようなものかも、と思っている。なぜなら、小説も、自己啓発本も、「現在の自分が抱えている、どうにもならない不安」を扱いつつ、それに対して作者が「私はこう考えてるよ、私もがんばってるから、あなたもがんばろう」というものだから。

人生を過ごすのに、不安や、痛みや、苦しみは、避けられない。——小説も、自己啓発本も、これを前提としている。

人生は、悩まされるものだ、と。

ただその悩みの行きついた先に「読者の解釈にゆだねられた結末」があるか、「読者の解釈が定まっている結末」があるか、のちがいが分かりやすい自己啓発本と分かりづらい小説の差を生み出している。

小説は、基本的に「私はこんなふうに悩みを持ってるよ。そんで、その悩みに対してこう考えたり、こんな体験をしたりしたけれど、まあ、これが解決になったかどうかは、あなたの解釈にゆだねるよ。ていうか、解決なんてしないかもしれないけど」と伝える（ことの多い）メディア。もちろん作品によっては「悩み、完全解決！」といえる結末を用意してくれることもあるけど、たとえそのような勧善懲悪小説であっても、それが本当にハッピーエンドかどうかは、読者が決めていい。

反対に、自己啓発本の場合は、「私はこんな悩みを持ってるよ。そんで、こうやって解決したよ！」と伝える。結末を解釈にゆだねてはいけない。結末は作者が用意して、それを読者に渡すものだ。これが自己啓発本のルール。

今抱えている悩みに対する結末を、どういうふうに、読者に渡すか。小説と自己啓発本では、異なる。

だからこそ、小説のタイトルは中身が分かりづらく、そして、自己啓発本のタイトルは中身が分かりやすい。

『ノルウェイの森』は何の悩みを扱っているのかまったく分からないが（まさかビートルズに対する不安を語った小説じゃないだろう）、『7つの習慣──成功には原則があった！』はどんな悩みを扱っているのか、明瞭すぎる。成功できないきみの悩みを扱っているのである。当たり前だ。

でも、実は出発点は同じなのだ。小説も自己啓発本も。

もちろん悩みの質はちがうかもしれない。だけどたかが同じ人間が悩む類のものだ。私は、そんなに変わらないのではないか、と思っている（そしてそういうことを本書では述べていく）。

人生に悩みはつきもので、苦しまずには生きていけない。だから私たちは、小説なり自己啓発本なりを手に取る。


……「いやそもそも人生に苦しみなんてないっしょ！　オールハッピーだよ！」という人もいるかもしれない。この本を運よく手に取ってくださっているあなたも、今は幸せ幸せハッピーで、不安なんて持つだけ無駄だ！　というラディカル（私から見れば）な思想の持ち主であるという可能性もなくはない。が、ぶっちゃけ、そういう人は、本当に「小説を読まなくても生きていける」。だから、小説を無理して読まなくていいんじゃないか……と私は思う。もし悩みができたら小説を読んだらいい。正直、自分の人生が幸せハッピーなときは、フィクションなんかにうつつをぬかさないで、ちゃんと現実を味わっておくべきではないだろうか。だってそんな期間が長く続くはずないじゃないですか！（と言いたくなるのは、私が悲観的すぎるのだろうか）。

まあどちらにしても、私は、基本的に小説を（そして自己啓発本も）、人生に悩みを抱えている人のためのモノだと思う。というか悩みを抱えているとき、ほとんど唯一、ちゃんと相談相手になってくれるのが小説だよな、と、思っている。

で、この「悩みのためのモノ＝小説」という事実は、小説のタイトルが分かりづらいことと関係している（タイトルの話、まだ続きます。長くてごめん！）。

なぜなら先ほど言ったように、小説は扱う「悩み」に対して、明確な答えを出さない。その答えはきわめて不明瞭なことが多い。その悩みの正体を綴（つづ）ったただけで終わることもある。

たとえば、夏目漱石は『門』[iv]で「夫婦ってなんなんだよ」という悩みを扱った。が、『門』のなかで夏目漱石は「夫婦ってなにか」に明確な答えは出さない。というか、物語の主人公ですら、「夫婦ってなんだろうな」なんてとくに言わない。小説の中でただすることといえば、門の前に立ち尽くすことだけである。夫婦という悩みを扱って、門の前に立つ。意味が分からない。解決もしていない。もちろん答えもない。だけど、それがひとつの小説になっている。

そしてこの物語を、夏目漱石は「門」と名付けた。それは、そうとしか名付けられなかったからだ。「俺と仲の良いはずの妻のあいだに子どもがいないという件について」なんてタイトルはつけられない。だって、『門』という小説が扱っている悩みは、ただ夫婦の話だけじゃなくて、その夫婦を取り巻くもっと複雑に入り組んだ悩み全体のことだから。

実際、私たちが人生で抱く悩みなんて、ひとことでばしっと名付けてしまえるほど単純じゃない。

たとえばもしあなたが自分と妻の問題について悩んでいたとしたら、そこには自分の仕事が今どういう状態か、とか、そもそも結婚することになった青春時代の経緯とか、さらに妻の幼少期から続く性格や親戚事情とか、自分の昔持っていた理想のありかたやそれを作った父母の関係とか、現在の経済事情や社会事情とか、それはもういろんな要素が絡み合った状況を、「夫婦」という切り口で悩んでいるにすぎない。ひとくちに「夫婦の問題」とか言ったって、それは氷山の一角で、おそらくもっと問題は根深い。だからこそ私たちは悩む。絡まりすぎてほどけない糸を、どうしようかなあ、と眺める。本当は、夫婦の状態だけが問題じゃないはずなのだ。ちょっとどうにかしようとしてみたって、本当は問題なんて解決しなくて、だけどそこに問題があることはたしかだ。

で、その状態を夏目漱石は「門」と言った。いや言ったわけじゃなくてタイトルなんだけど、夫婦を扱った小説の中で夏目漱石は「門の前に立ち尽くすしかなかった主人公」を描くに至った。

この場合、タイトルが「俺と仲の良いはずの妻のあいだに子どもがいないという件について」と、「門」だったら、どちらが、より悩みに対して誠実で、的確だろう？「悩んだけど解決しなかった」と言うのと、「門の前で立ち尽くすしかなかった」と言うのでは、どちらがより状況を誠実に描写しているといえるのだろう？どちらが、より、私たちに、その悩みの深さを伝えてくれるだろう？

たしかに「門」だけのほうが、分かりづらい。というか、一見しただけでは、分からない。だけど実際に小説の文脈を知り、その悩みにいったん共感してしまうと、私たちは、「門」と名付けた夏目漱石を信頼せざるをえない。少なくとも、私はそうだ。きっと私が同じようなことで悩んでいたとしたら、「ああ、夏目漱石は深く悩み、深く考えてくれている」とほっとしただろう。自分よりこの悩みについて考えている人が、ここにいたんだ、と感じるだろう。

それ――つまり「門」とかいう一見分かりづらくて複雑なタイトルは、分かりやすく直接的なタイトルよりももっと、実は、伝わるものの多い表現なのだ。

だからこそ、小説は分かりづらいタイトルをつける。一見、なにが書いてあるか分からないタイトルを。内容を私たちに事前に教えてくれない言葉で。

それは不親切に見えるかもしれない。自己啓発本みたいにうまいタイトルつけろよ、と思うかもしれない。だけど、分かりやすさ以上に、小説と同じ深さの悩みを持った読者に対して、小説のタイトルは、誠実であることが大切だ。それが小説のタイトルのルールである。

さて、タイトルについてえんえんと語ってしまった。

たしかに小説は、パッケージと中身の乖離が激しく、それゆえに「手を出しづらい」、あるいは「読もうと思ってもなにから読んでいいのか分からない」問題を抱えやすいものかもしれない。

それでも、私は、小説のタイトルは分かりづらくあるべきだ、と思う。だって、ええんえん語っているように、小説のタイトルは、悩んでいる、苦しんでいる読者に、「俺のことを信頼してよ」って説く誘う文句だから。それは、「俺はきみと同じくらい、またはきみ以上につらいよ」って言うものだからだ。

小説は、「ちゃんと自分以上に悩んでいる、苦しんでいるやつがいる」って教えてくれる。悩んでいるのは、苦しんでいるのは、つらいのは、自分だけじゃない。この問いについてここまで考えている人がいる。その一点を感じるためだけに、私たちは小説を読む。ずっと読む。ずっと読んできたのだ。昔から。

だから、今つらい人はもちろん、今つらくない人も、小説を読んだらいいのになあ、と私はやっぱり思ってしまう。だって、あなたがつらくなったとき、小説は唯一寄り添ってくれる存在かもしれないよ。

i 『ノルウェイの森』（村上春樹著、講談社、1987年）
ii 『舞姫』（森鷗外著、初出：『国民之友』1890年1月号）
iii 『7つの習慣―成功には原則があった！』（スティーブン・R・コヴィー著、ジェームス・

スキナー訳、川西茂訳、キングベアー出版、１９９６年）

iv　『門』（夏目漱石著、春陽堂、初出：１９１０年）

2

あなたが「積ん読」しているのは正しいと思うたった一つの理由

名作と呼ばれる小説を、買ったはいいけど「積ん読」――つまり買ったあと読まずに放置した。そんな経験はございませんか。

私はある。現在ばちばちに読んでない小説が本棚に置かれてるよ！

しかし「積ん読」も、名作を読むのに必要な行為じゃないだろうか。……なんて、自分の怠惰を肯定するようなことをちょっと言ってみたい。

「積ん読」の原因は、「なんとなく面白そうで買ってはみたものの、今は読む気が起きないなあ」という感情だ。この、なんとなく肌が合いそうなのに、今ぜったい触らなきゃ気が済まないというほどではない……という感じ。ハイ、恋愛上級者の方ならお分かりかと思うのですが、こういう場合は、つかずはなれずでいるのがいちばんだ。そう、そのまま読まずに積ん読しとくべき！　と、私は思う。

なぜそのまま読まずに積んどくべきかというと小説には「その小説が生み出された

根本的な理由になる悩み」が存在している、と前章で言ったことが背景にある。小説には、そのストーリーの底で綴られる、人生のつらさや不安や痛みや孤独、つまりは「悩み」が存在する、という話。覚えてますか？

そして私が思うに人生において、本来もっとも小説を読むに適したタイミングは、「自分の本当に切実な悩み」と「小説において描かれている切実な悩み」が重なった瞬間だと思う。

たとえば先ほどから例として用いている、夏目漱石の『門』という小説。これは、夫婦に関する悩みが描かれた小説だ。しかし、何度も言ってるように、まあ分かりづらい小説なのだ。あらすじの意味が分からないというよりは、ぼけっと読んでいると、「…………ほーん？」で終わってしまう小説。で、何が言いたいんだっけ？　あれ？と首をかしげてしまう小説。そして、そういう体験をしてしまっては、「やっぱり名作って難しいよなあ。夏目漱石ってすごいんだなあ」という感想で終わる。実際、私はこの体験を昔しましたよ！

いちおう古典って呼ばれる小説でも読むか～と思い、読んでみたものの、夏目漱石、分からん、と眉をひそめた高校時代。今の私からすると、「いや、高校生に『門』ははやいよ！　早熟な子ならともかくふつーの女子高生に『門』のなんたるか分かるはずがないよ！」と素直に言える。だって『門』のような、夫婦の機微、それも一見仲良くしてるのに実は裏にしこりを抱えたままの夫婦の言語化できないほど繊細な悩みなど、田舎の女子高生が「ははあ、なるほど」と言える訳がない。

だけどこれが、女子高生でなくて、実際に何年も夫婦として誰かと連れ添ったあとに読んだら、どうだっただろう。全然ちがった感情で『門』を読めたのではないか。そこにある問題の切実さ、言語化できない理由、なぜふたりは仲が良さそうなのか。もう少し切実に読めたと思う。

誤解しないでほしいのだけど、小説は登場人物と同じような経験がなければ読めない、と言っているわけじゃない。もちろん文章を読むとき、想像力と読解力があれば、自分が体験したことのないことでも想像し理解することができる。たとえば私たちは漁師でなくとも『老人と海』を読めば、カジキをしとめることができる。南北戦争を体験してなくても『風と共に去りぬ』を読めば、アメリカの大地を踏みしめることができる。

……が、ここで面白く読むために必要だと言ってるのは、体験ではなく、自分の経験する悩み、つまりは「テーマ」のことだ。

一冊の小説には、実は、いくつもの「テーマ」が存在する。テーマは切り口、と言い替えても差し支えないのだけど、これまで「悩み」と呼んできた類のことだ。

たとえば『門』には、「夫婦」というテーマがあり、ほかには「近代という社会のなかの生き方」というテーマ、あるいは「政治や社会に対してどういう姿勢でいるか」といったテーマもある。ようは、「悩み」の切り口がたくさんある。それは私たちの人生で、結果的に似たような人生を生きたとしても、恋愛で悩むか将来で悩むか、人によって大きい関心ごとは変わるのと同じようなものだと思う。

そして読者の私たち自身も、まったく同じテーマを抱き続ける人は少ない。ある時期に、仕事に悩み、ある時期に、人間関係に悩む。時期とともに、主な悩みは変わってゆく。年齢によって、時代によって、生まれた地域によって、テーマ——主な関心ごとは異なる。

だからこそ、読む小説のテーマと、自分の現在のテーマが、呼応するかどうかは、タイミングによる。

子どものときにものすごく切実でものすごく面白いと思った小説のことを、大人になると、「なんでこんなにハマってたんだろう、昔は好きだったなあ。なつかしい」と微妙に思うことがある。それは、時とともにあなたの人生のテーマが変わり、切実な悩みが移っていったからだ。もちろん昔好きで面白いと思った小説に愛着はあるだろう。それでも、ある種の小説に読んだときに感じる、「ここに書かれてあることは自分にとって大切なことだ」という直感は、時とともに変わることが多い。

私たちはうつりかわる。11歳の時はほんとうにホグワーツに行ける、行きたい、と思っていた。それはもちろん『ハリー・ポッター』シリーズに登場する「9と¾番線」へのあこがれのもたらした感情でもあっただろうけれど、同時に、自分は本当にずっとこのままここにいるんだろうか、どこかちがうところへ行けるのではないのか、もっと仲のいい友達を自分はつくれるのではないか、という漠然とした感情が子どもの時にあった証ではないか。そしてハリーとともに、どこかちがうところではなく、ここで、自分を引き受けていくしかない、という覚悟を決めて私たちはホグワーツを卒業し、『ハリー・ポッター』シリーズを読み終えたのではなかっただろうか。……まあそんなシリアスに児童文学を読んでなかったよ、という声も聞こえてきそうだけれど、でも、ものすごく面白いと思った小説には、ものすごく面白いと思うに至る理由が私はあると思う。無意識に、人生のテーマと、小説のテーマが呼応していることって意外に多い。

たまにトラウマのように同じテーマをずっと抱き続ける人もいるけど、そういう人はそういう人で、自分にしか分からない切実さと孤独を抱えることも多い。だから小説を読んでほしいよ、と私は思う。

想像力をはたらかせれば、どんなテーマでも、どんな登場人物でも、面白がることはできる。だけどもう少し、切実に、名作と呼ばれる小説の描いていることを理解しようとすれば、私は、この「テーマ」、つまり「その小説が抱えている悩み」にぶち当たらざるをえないと思う。というかそれがあるから、小説は、こんなにもたくさんの人をすくう。

具体的な方法は後ほどご紹介するけど、いちど好きな小説について、「この小説の悩み、テーマってなんなんだろう？」って考えてみると面白いかもしれない。一見ただのエンタメで面白いことだけ書いてある小説でも、実は作者の隠れたテーマが存在していたりする。たとえば「なんでこんなに日常は退屈なんだろう」でも、「どうして私たちは風景になつかしさを感じるんだろう」でも、なんでもいいんだけど、作者の、小説に潜ませた問いかけ、テーマ、悩みは、読者を読者自身すら気づかないかたちですくっていたりする。

と、ここまで小説のテーマについてつらつら書いてきたけれど。当然ながら、「テーマ」が存在するのは、小説に限った話ではない。物語であるかぎり、たとえば映画でも、ドラマでも、同じようなテーマは存在している。物語に潜伏する悩みは、小説だけの特権販売ではない。

だからこそ自分自身が「いい」と思える悩みのテーマを提示してくれる物語を手に取ったらいい、と私は思う。

私は小説を好きだから本書は小説を取り扱うけれど、小説をテーマで読めるようになって、自分のタイミングに合致したテーマを、映画やドラマからも嗅ぎつけられるようになれば、ほかの媒体の物語もより楽しめるようになると思う。

i 『ハリー・ポッター』シリーズに登場する学校（『ハリー・ポッターと賢者の石』ローリング著、松岡佑子訳、静山社、1999年）

3 古今東西の小説を面白く読むために必要な武器がある

さて。では前章の「テーマ」を小説から引っ張り出すには、どうしたらいいのだろうか。私たちの目には「ただの物語」として目に映る、小説の隠れたテーマを、「あ、この小説はこれがテーマなのか」と気づくためには、どうしたらいいんだろう?

私が思うに、「テーマ」を探すには、「メタファー」を理解できたら、はやい。

メタファー。聞いたことがあるかしら。国語の教科書で出てきたかもしれない。「比喩」と呼ばれる手法だ。直喩、隠喩、って習いますよね。あれだよ。

メタファー、というと難しく聞こえるかもしれないんだけど、実際のところは簡単な考え方だ。

たとえば「りんごのような頬」というと、私たちは瞬時に「赤い頬」のことを指している、と分かる。りんごのような、と言った時点で、「りんご＝『赤』」という意味を表現しようとしている」と分かるからだ。この「りんご＝『赤』」という図式を頭のなかで無意識に描ける私たちの能力を使った表現が、メタファーだ。たとえば、「猿も木から落ちる」なんてことわざがある。この意味がなぜ分かるのかというと、「猿＝木登りが得意」という前提をみんなが共有していて、そのうえで「木登りの得意な猿ですら、木から落ちることがある『みたいに』、得意なこともたまには失敗する」と、「みたいに」の部分を頭で補っているからだ。まさにこの「みたいに」を補う機能を、メタファー、という。

で、このメタファー機能、実は物語によく使われる。

たとえばスタジオジブリの『魔女の宅急便』という有名な作品。魔女のキキは、13歳になると独立して、生まれ故郷とはちがう街で仕事を見つけなくてはいけない。まだ魔女としての技術が「ほうきで飛ぶこと」しかないキキは、特技を生かして、「宅配」を仕事とする。

この物語では、設定として「魔女は、13歳になると地元から離れなくてはいけない」ことがまず決められている。実はこの設定は、ようは思春期の子どもたちのありかたのメタファーを表現するためのものなんだ……という話は、『魔女の宅急便』が好きな人なら、一度は聞いたことがあるかもしれない。

つまり、「魔女の宅急便」は、一見「魔女キキの成長ストーリー」ではあるけれど、その裏で「思春期の女の子のありかた」のメタファーが隠れている。思春期の子どもって、キキ「みたいに」成長するよね、と。

たとえば魔女のキキが「地元を離れて仕事を見つける」というストーリーは、思春期になってはじめて「親から離れて自分の世界をつくる」ことを表現している。あるいはキキが高熱を出して寝込むシーンがあるけれど、あれは生理のメタファーだという解釈もある。そして物語の終盤のクライマックスシーン「キキが今まで使えていた魔法（＝ほうきで飛ぶこと）を使えなくなる」という場面も、「思春期でいちど親から離れて自分の世界をつくろうとすると、それまで無邪気に子どもとして生きていた自分ができていたことが、できなくなる（たとえば素直に親と話せなくなったり、友達との関係がうまくいかなくなったりする）」ことを表現しているように見える。主人公の魔女キキのありかたは、思春期の子どものメタファーだ、と言えるわけだ。

目に見えている設定や表現が、その裏で、その設定「みたいに」現実ってこういうところあるよね、と示す。それを私たちはメタファーと呼ぶ。

……こんなふうに説明していくと、必ずあらわれるのが、「ええー、作者はそれを期の子どものメタファーとして考えてたの？　インタビューで彼がそう言ってたの？」と。

　でもここで大切なのは、「作者の意図」と「表現があらわすメタファー」は、必ずしも一致してなくてもいいんだ、ということ。

　ちょっと複雑なんだけど、つまり作者が意図していなくても、勝手に表現が、メタファーをつくってしまうことがある。大切なのは、作者がどう考えているかじゃなくて、その表現から、私たちがメタファーとして裏の意味を引き出すことができるか？ということだ。

　というか、もっといえば、作者が無意識につくっているメタファーもたくさんある。「そう描く理由を言語化できないけど、そう描くしかなかった物語」というのは、作者すら気づいていないメタファーが潜んでいたりする。それを読み取るのが、あらゆる物語のいちばん面白い読み方だと私は思う。だって作者も気づいてない物語の本当の意味を読めるんだよ。

　こうして考えると、世の中には本当にメタファーがたくさんある。たとえば宅急便の「クロネコヤマト」のロゴマークだって、なんであれはクロネコなのだろうか？あのロゴは、母親クロネコが、子猫を運んでいるところだ。つまりクロネコヤマトは、企業として、「私たちは、母親が子猫を絶対にけがさせないように運ぶ姿『みたいに』お客様の荷物をあて先に運びますよ」というメッセージをメタファーとして込めている。

あるいは、グリム童話の「赤ずきん」も、普通に読めば「おばあちゃんに注意されていた赤ずきんが、オオカミに食べられたけど猟師に助けてもらった話」。だけどメタファーを読めば、まあ普通に考えて「若い女の子が、ふらふらしてると危ない目にあってしまうぞ」ということを表現した話だと分かる。オオカミ、ってメタファーは現代でもよく使われる。現実には猟師が助けてくれるとも限らないんだから、気をつけようね、とおばあちゃんが娘に説く話である。

こんなふうに考えてみると、フィクションの表現が人に受け入れられる裏には、なんとなくその物語が私たちの現実世界にしっくりくるメタファーだった……という理由があったりする。「なんとなく」しっくりくるのは、私たちが無意識にメタファーを読み解いているからだ。この無意識を、ぐいっと意識的に引き出すのが、フィクシヨンの物語を読む楽しさでもある。

私が今紹介してきたのは、分かりやすいメタファーたちだったけれど、これが本当にうまい小説家の手にかかると、もっと複雑だが「それとしか言いようのない」メタファーが表現される。というのも、前に述べた「いま自分にとって切実なテーマ」を、小説の中で、すごく適切なメタファーに変換することができるからだ。

何度も言うように、本当に悩んでいる問題は、分かりやすく言語化するのが難しい。自分が本当につらいことは、人に伝えづらい。でもそれを、物語、つまりメタファーにすれば、人に伝わることがある。読者はそれを受け取ることができる。

メタファーは、小説のテーマをひそかに表現することができる。

では小説のメタファーってどういうものがあるのか？　ここでも夏目漱石の『門』をちょっと使ってみたい。

『門』という小説は、研究者のあいだでも解釈が分かれ、「難しいなー」とぶつぶつ呟（つぶや）かれている。なので、読んでみて難しくてもまあしょうがないよな、と思ってほしい。

そんな『門』、さっきもちらっと小出しにした「夫婦の問題」というテーマが存在する。主人公は下級役人の宗助。妻の御米（およね）とともにひっそりと暮らしている。ふたりの日々は平穏に過ぎていくのだが、ある日、叔父が亡くなったことによって、十歳下の弟を引き取ることになって……という話。

序盤はなんら問題ない仲良し夫婦のように見えるのだけど、実は、宗助は親友の妻である御米を略奪して結婚した……という過去を抱えている。姦通（かんつう）の罪は昔のほうがずっと重く考えられていたので、その過去がふたりには重くのしかかる。どれくらい重いかといえば、姦通から親に勘当され、京都大学を中退しなくてはいけなかったくらい。重っ。当時の帝国大学を中退するなんてよっぽどだ……。

さてそんな『門』、終盤にこのような場面がある。

> 自分は門を開けて貰いに来た。けれども門番は扉の向側にいて、敲（たた）いてもついに顔さえ出してくれなかった。ただ、
> 「敲いても駄目だ。独りで開けて入れ」と云う声が聞えただけであった。彼はどうしたらこの門の閂（かんぬき）を開ける事ができるかを考えた。そうしてその手段と方法を

明らかに頭の中で拵えた。けれどもそれを実地に開ける力は、少しも養成する事ができなかった。したがって自分の立っている場所は、この問題を考えない昔と毫も異なるところがなかった。彼は依然として無能無力に鎖ざされた扉の前に取り残された。彼は平生自分の分別を便に生きて来た。その分別が今は彼に祟ったのを口惜しく思った。そうして始から取捨も商量も容れない愚なものの一徹一図を羨んだ。もしくは信念に篤い善男善女の、知慧も忘れ思議も浮ばぬ精進の程度を崇高と仰いだ。彼自身は長く門外に佇立むべき運命をもって生れて来たものらしかった。それは是非もなかった。けれども、どうせ通れない門なら、わざわざそこまで辿りつくのが矛盾であった。彼は後ろを顧みた。そうしてとうていまた元の路へ引き返す勇気を有たなかった。彼は前を眺めた。前には堅固な扉がいつまでも展望を遮っていた。彼は門を通る人ではなかった。また門を通らないで済む人でもなかった。要するに、彼は門の下に立ち竦んで、日の暮れるのを待つべき不幸な人であった。

（『門』ii）

前章でも少しお話した、主人公が「門の前で立ち尽くすしかない」場面。

さてこの場面。何がメタファーになっているか分かるだろうか。

……カンのいい方はお分かりかと思うけれど、まあ、ここで問題になってくるのは「門」だ。そらそうだよな。

彼は、悟りをひらきたいと思って禅寺にやってきた。でも修行してなお、悟りをひらくことができなかった。つまり、この「門」とは、禅寺の「門」。彼は、禅寺の「門」を開けてもらいに来た。

が、そこで門を他人に開けてもらえない、ひとりで開けて入らなくてはいけない、という思いにさらされる。そして彼は、門の前に立ち尽くすこととなる。

さてこの「門」とは、何のメタファーだろう？　ちょっと、小説の文章を解読してみたいと思う。長いから興味ない方は読み飛ばしてね。

小説には「彼自身は長く門外に佇立むべき運命をもって生れて来たものらしかった」、彼は門の「外」にいる人間だ、とある。門の前に立ち尽くすといったら、なんとなく、「門のなかに入れない」ことが、彼にとってはダメージの大きいことなんだろうな、と思える。

そして彼は「それは是非もなかった」と言う。つまり、門の外にいるのはいいことでもわるいことでもない、と述べる。……って言うってことは、やっぱり「それ」がわるいことだったんだな⁉ と分かる。だって「それはべつにいいことでもわるいことでもないんだけど」、なんて前置きをつけるとき、私たちは「正直わるいことだけど、わるいって批判したり嘆いたりするつもりはないよ」という意味を込める。「それは是非もなかった」と人が言うとき、たいてい是非は、ある。

でも、彼は言う。「どうせ通れない門なら、わざわざそこまでたどりつくのが矛盾であった」と。

彼にとって「門のなかに入ること」は、ポジティブなこと。でもそれを達成することはできない。……どうせ達成できないのなら、門の前まで行くことが、徒労っちゃ徒労だ。そもそも、門に気づかない人もいるだろうし、門まで行かなくていい人生だってあるはずだ。でも、彼は「門の前までは、たどりつけてしまう」人間だった。しかし、「門のなかに入ることはできない」人間でもある。それは矛盾じゃないか、と彼は言う。

そしてここからが私は漱石の真骨頂だと思うのだけど、以下のように文章は続く。

「彼は後ろを顧みた。そうしてとうていまた元の路へ引き返す勇気を有たなかった。彼は前を眺めた。前には堅固な扉がいつまでも展望を遮っていた」。

まずは門の「後ろ」に目を向けさせる。つまりは門から引き返す話をする。でもそれは勇気がないからできない。後戻りはできない、ってことだね。

そして次に、門の「前」の話。

注目したいのが、これまで門に至るまでの道の話をしていたのに、いざ門に目を向けると、「扉がいつまでも展望を遮っていた」と言われるところ。いきなり、道が閉ざされた感じ。そしてその扉は「堅固」なのだ。うーん、あきらかにこれは景色の話だけじゃなくて、たとえば「自分の将来」が閉ざされている……という話に読めないだろうか。

そして面白いのが、この先。

「要するに、彼は門の下に立ち竦んで、日の暮れるのを待つべき不幸な人であった」。なんでここで、いきなり「日の暮れるのを待つ」話が出てくるんだろうか？

正直、「要するに、彼は、門の下に立ち竦むべき不幸な人であった」でもいい。だってすでに「引き返すことができない」ことは言ってあるんだから。まあ読者も長い時間立ち竦んでいたことは想像できる。なんでわざわざ漱石は、「日の暮れるのを待つ」まで書いたんだろうか？

なら逆にこう考えるのがいい……日の暮れるまで、という言葉がメタファーだとすると？

「日の暮れるまで」待った、というのは、「人生が終わるまで」のメタファーではないかと考えてしまう。

つまり、彼は「門の前にたどりついてしまったのにもかかわらず、門の向こうへ入ることができずに、人生を終えた」のだ。

門をなかったことにして引き返すこともなく、しかし門の向こうへ行くこともできない。門の扉は「展望」おそらく将来をがっちりと閉ざしている。その門の前で、じっと立ち竦んだまま、彼は人生を終えるべき運命の人間なのだ。うわあ、つらい。

……だとしたら、やっぱり「門」って何だろう？

禅寺の「門」だから、もちろんいちばん可能性が高いのは、「悟りを得ること」だ。

この描写の前に、どうしても彼が悟りを得ることができずに苦労するさまが出てくる。

彼の「門の向こう側へ行く」こととは、「悟りの向こう側へ行く」ことだろうな、とも思える。で、まあ「門」が「禅の悟り」のメタファーだ、ととらえるのがひとつの解釈。

でもそれだけではちょっと面白くないので、もう少し踏み込んで考えてみると。この文章には、「子どもを持って、仕事を自分の納得のいく形でまっとうし、成熟した大人として人生を送ること」のような、人生の完成されたかたちが、「門」として、登場しているんじゃないだろうか？

宗助と御米のあいだには、子がいない。そのことが、小説にはくりかえし、まるで何度も頭のなかで繰り返すフラッシュバックみたいに、登場する。実際、御米が子どもを産めないといわれたことを告白する場面もある。夫婦には、子どもを授かっていても、産めなかった、という過去がある。

しかし単純に子がいないことが夫婦に影をおとしている……というよりは、宗助は、もっと大きな形での、なんらかに対する罪悪感を抱きながら日々を過ごしているところがある。宗助は安井から略奪するかたちで夫婦になったという過去もあるし、「崖下」でひっそりと暮らしている、という描写もある。

同時に面白いのが、宗助と御米は大変仲が良いこと。宗助は御米のことを大切に思っているし、彼は人生を間違えたと後悔しているわけでもない。

その一方で、小説の中では「突然」とも言えるくらいとうとつに、禅寺に行こうと思ったりもするのが宗助だ。

そんな、さまざまな矛盾をはらんだ宗助は、ある種の罪悪感を清算するようなかたちで、禅寺に行ったのだとも考えられる。悟ることができたら、もっと精進することができたら、「門の向こう」へ入れるのではないか？　つまり、もっとひらけた未来が見えるのではないか？　と。

でも実際は、閉塞感をぬぐうことはできなかった。子をもてないことや、不倫の過去、それらを背負ったうえで彼は、今の現在地点から、逃げることはできない。つまり、彼はおそらくここで、自分は「子どもを持って、仕事を自分の納得のいく形でまっとうし、成熟した大人として人生を送ること」にたどりつくことができないだろう……と予感しているのではないか。

そう考えると、やっぱりこの小説はよくできた夫婦の人生の小説なんだろうな、と思う。

夫婦で仲良くしていても、この先になにかたどりつくような場所はない。ただこの、門の前で、たたずむことしかできずに人生は終わっていく。まっさらな扉の向こうに行くことはない。

でもこれは、宗助が自分の昔の罪ゆえに「門の向こうに行けない」と考えている、というよりは、漱石が人生を「門の向こうには行けないものだ」と考えているからこの描写を入れたんじゃないだろうか……と私は思う。たとえば悟りを得ようと思っても悟りは得られないし、仕事でものすごく高みに到達しようと思っても到達できずに人生は終わっていくし、だからといって引き返す（ちがう道を選ぶ）勇気もない。しかも、到達したいと思う地点が見えなければ楽なのに、その地点を夢見てしまう自分がいる。だからこそ「門の前にたどりついてしまう」わけで。

夫婦として、この先、なにかがひらけることはない。ただそれは、たとえば別の妻と結婚したらいいという話ではない。ただ扉が閉まっているだけなのだ。……これを、一見すごく幸せそうな夫婦の小説において描くのが面白いところだなあ、と私は思う。すごくよく分かる閉塞感のメタファーだと思うけれど。

そう、「ただ夫婦には閉塞感だけがあった」なんて描かれるよりも、「門の前に立ち竦むしかなかった」と描かれるほうが、やっぱり、伝わってくるものは大きい。結婚したことないうえに禅寺にも行ったことのない私ですら、「分かる」と言いたくなってしまう。

人生において切実なテーマを表現するのに、これ以上ないくらいぴったりしたメタファー。それを読んだ読者は、経験したことないのに「分かる」と言いたくなる。

これが小説だと私は思う。

i　どの論者も『門』は論じにくそうで、言ってみればその論じにくさを論じているような趣がある（『漱石はどう読まれてきたか』石原千秋著、新潮社、2010年）

ii　『門』（夏目漱石著、春陽堂、初出：1910年）

4
生活の中心で、小説の面白さを叫ぶ

さてここまで、小説のテーマやメタファーのありかたについて、私はちょっととえらそうにあれこれ述べてきた。だいたい「小説の読み方」のいちばん基礎的なことは伝えたと思う。これをじゃあ古今東西の小説にあてはめたらどうなるだろう？　という応用編を、第二章では具体的に説明していきたい。

でも、小説を読むうえで大切なことがもうひとつあるなあ、と気づいて私はこの章を書き足している。

小説を読むうえで大切なこと。それは、「日常の生活を送ること」だ。

……って、あんまり、言われて、なくない!?　と私は普段から怒ってるので、ちょっと語らせてほしい。

いや、小説っていったら、現実逃避とか、日常を休むための癒しとか、なんだかそういう文脈で語られやすい。まあ私も小説を現実逃避に読んでいるし、日常をぱっと明るくしてくれる存在として小説があると思っている。だってふだんの日常ってとくに面白いこともないし、刺激のない日常で刺激を求めて面白い本を読みたい、と日々思っている。

でも、同時に、思うのだ。やっぱり小説の「テーマ」にあたる部分が、日常生活ですごくすごく自分にとって切実な悩みと重なると、普段よりも面白く読めるよな、と。たとえば、仕事をどうしようかと悩んだ時期だと、やっぱり主人公が仕事をがんばってたり仕事のやりかたに悩んでいたりすると「分かるよ……」と泣けてくる。それが19世紀の小説だったりすると、うわあ人間って変わらない！　と感じたりもする。

もっと「悩み」を抽象的にして、そもそも何をどうしたら人は大人になるんだろう、とか、なんで人間は労働しないと生きてけないんだろう、とか、対人関係ってなにを基準におくのがいちばんよいありかたなんだろう、とか、男女で欲望ってどれくらい普遍的にちがうんだろう、とか。

人に話すとちょっとめんどくさいと思われそうだけど、でもやっぱり自分にとっては大切な、面白いと思うテーマって、みんなそれぞれあるだろう。

そのテーマを分かち合えるのが、小説、というモノじゃないかと私は考えている（もっと範囲を広くして、物語、といってもかまわないけれど)。

だったら、ちゃんと自分の人生をいきて、日常生活を送り、そのなかでいろんなことを考えて、小説にぶつけるのがいちばんだと思う。

小説を読むとき、あなたの今の人生で大切なテーマと、小説のなかのテーマが、ぴたりと一致したとき、それはかけがえのない読書体験になる。……っていうと小学校の図書室に貼ってありそうなポスター標語みたいだけれど。でも私は、けっこうてらいなく、そう思う。

つらいことのほうが多いくらいの人生で、でもそのつらいことも、実は小説を読むのに使えるのだと知れば、つらいこともまあ経験しておくかと思えたりする。

たとえばうまくいかないことのほうが多いよなあ、と感じても、小説にはうまくいかないことのほうが多く書かれるもんだし、これを経験すれば小説をより楽しめるようになるよ、と私は私を励ましたりする。

そういう愉しみが増えるだけで、日常生活をがんばろう、と思えたりも、する。

だからこそ、小説は現実逃避なんかではなく、日常を戦うためのものでもあるし、日常と戦ってくれる存在でもある。

本書では、「そういう」小説の読み方を提示する、つもりだ。私がそういう読み方が好きっていうだけなんだけど。

この小説を読むと元気になるな、と思うとき、私たちは、小説と人生が幸福にも重なるところを生きている。

あの小説を
誰よりも楽しく読む方法

世界一有名な親子喧嘩は、神を信じない男が主人公でした。

読む技術：あらすじを先に読んでおく

読む小説：『カラマーゾフの兄弟』

『カラマーゾフの兄弟』
1〜5、ドストエフスキー著、亀山郁夫訳、光文社、2006〜2007年

女好きの父親フョードルは、カラマーゾフ家の長男ドミートリイと女性問題で争うことになり、話し合いを決行する。いっしょに次男のイワン、三男のアレクセイ、彼の師匠僧ゾシマを同席させたものの、父息子ふたりは結局喧嘩を始めてしまうのだった。

あの小説を誰よりも楽しく読む方法

『カラマーゾフの兄弟』

カラマーゾフの兄弟！

と聞けば、「タイトルは知ってるけどぶっちゃけ読んだことのない小説」の筆頭じゃないだろうか……。

なぜなら私にとって長らくそうだったから。ほんと、ロシア文学ってば長いわりにタイトルばっかり有名なんだから。手が出しづらいっつーの。読んだ！　と言えたらかっこいいのだけど。『カラマーゾフの兄弟』は長い。いざ読もうと思い立ってページをめくってみても、道のりの遠さにがっくりと膝をついてしまうよ。

が、私は編み出した。『カラマーゾフの兄弟』を読む方法を。こういうやたら長くてハードルの高い本を読むコツはひとつ。

あらすじをあらかじめ読んでおくことである。

ってこんなこと言ったら、世の中のたくさんの読書家さんから怒られそうなんだけど。ほんとに。ごめんなさい。あらかじめ謝りたい。しかし私は文学作品を読むときに「あらすじを知っておく」方法、意外と有効なのではないか、と思っている。

まあ本書はあくまで真面目な読書法ではなく、不真面目かつ面白い読書法というのを第一優先事項に置いておりますので。小娘のふざけた読み方だなァ、と思っていただけたら幸いです……。正しくなくても、本が面白く読めたらいいのよ。


で、『カラマーゾフの兄弟』。私がアホなのだろうが、初読時そもそも息子が誰が誰なのかこんがらがっていた（人の名前を覚えるのが苦手なんだ）。

しかしある時、池澤夏樹さんという作家の『世界文学を読みほどく』という解説書（世界文学と呼ばれている文学作品をいくつも紹介していて面白い）を読んだ。そこにたまたま『カラマーゾフの兄弟』が紹介されており、あらすじをすっかり知ってしまった自分は、『カラマーゾフの兄弟』に再挑戦してみた。ネタバレ済みの『カラマーゾフの兄弟』。

するとまあ、面白いんだこれが。

本書で何度も言うと思うけど、小説の面白さは、あらすじだけではない。ここでいうあらすじの面白さとは、たとえば「次の展開がどうなるんだろう?」とか「結末がどうなるか分からない」といった、あらすじを知らないからこそ楽しめるもののこと。

もちろん、あらすじをたどること自体が面白い小説はたくさんある。だけどそれ以上に、あらすじ以外の面白さもまた、たくさんある。たとえば登場人物の言動とか、台詞のパンチラインとか、ここでこう来るなんて思わなかったと驚いてしまう演出とか。文学作品の多くは、あらすじだけではない面白さに満ちているから、繰り返し読むに足りるのだと思う。

というわけで、ちょっと『カラマーゾフの兄弟』のあらすじをあなたの頭に入れてみたいと思う。ネタバレ絶対反対の人はとばして下さい。『カラマーゾフの兄弟』をひとことで言うと、「仲のわるい一家のなかで、父親が殺される。しかし犯人は分からない」話だ。

物語のいちばん大きいあらすじは、「父親と仲のわるい放蕩(ほうとう)息子の長男ミーチャがいて、インテリで合理主義の次男イワン、修道院にいて純粋な美青年の三男アリョーシャがいる。そして父親も含めて四人で、話し合おうとする」だ。

父親はかなり女好きで、長男と父でひとりの女性を争ったりする。ふたりには遺産問題も絡み、父子の仲がどんどん悪くなる。だからこそ四人で話し合おうとするのだが、結局、父親は……殺されてしまう（しかし父親が殺されるのは、物語の中盤以降である）。

この父親が殺された場面、あまりはっきりと書かれていない。そう、『名探偵コナン』形式のごとく、誰かがやった、としか。

『カラマーゾフの兄弟』は、父の殺人をめぐって、犯人は誰なのか？　やっぱりさんざん仲の悪かった長男なのか？　実は、ちがうのか？　と、ミステリーのごとく追いかけていく話でもある。

ちなみにこの父の殺害をめぐって、裁判が起こる。これが『カラマーゾフの兄弟』本編のクライマックスシーンである。父殺しをめぐる三兄弟の物語。これが『カラマーゾフの兄弟』のいちばん大きなあらすじだ。

だけど『カラマーゾフの兄弟』が長くて複雑なのは、登場人物が多く、その登場人物それぞれにエピソードがあるからだ。カラマーゾフ家以外の、脇役のエピソードがなかなか濃いのである。

父と長男ミーチャが争う女性であるグルーシェンカや、ミーチャの婚約者だけどイワンと仲良くなっていくカチェリーナといった女性の物語。あるいは三男アリョーシャの慕う高僧ゾシマの存在、そして彼が説く神についての議論。またはスネギリョフという退役軍人、その息子イリューシャとの交流。そしてスメルジャコフというコックの思想。

登場人物のエピソードがそれぞれ濃すぎて、話をただ追いかけていくと、あれっこれ誰だっけ、と分からなくなる（少なくとも名前を覚えるのが苦手な私は分からなくなった……）。が、ある程度あらすじを頭に入れておけば、混乱せずに読める。小説としての面白さに集中できるのだ！

そしてあらすじを頭に入れたうえで、『カラマーゾフの兄弟』という小説の、「父殺しのミステリー」以外の側面についてもついでにお伝えしたい。

『カラマーゾフの兄弟』は、「次男イワンと高僧ゾシマの思想上の争い」が大きなサイドストーリーになっている。

というか、サイドストーリーなはずなんだけど、ドストエフスキーが本当に書きたかったのはもしかしてこっちだったのか、と思うほど、かなりページが割かれて語られている。

いちばん有名なシーンが、次男イワンが三男アリョーシャに語る「大審問官」という物語詩だ。

イワンはインテリで、神を信じず合理主義でいこう、という思想を持ったタイプ。彼は修道院にいる弟アリョーシャに、こんな問いを提示する。

「神は本当にいるのか？　神がいるとすれば、なんで世界には、いまだに悪があるんだ？」

読者からすると、「うーん、それを言っちゃあおしまいよ」という気がしちゃうんだけど。イワンはこの問いについて真っ向から語る。たとえば世の中の子どもへの虐待。これが世の中の必要悪だとすれば、こんな犠牲を払ってまで手に入れるべき価値のある世界なんてあるか？　とイワンは言う。

さらにイワンは大審問官の物語の中で、「人の生くるはパンのみに由るにあらず」というキリストの教えをがっつり批判する。

そう、人間どもは、われわれなしではぜったいに食にありつけない。彼らが自由でいるあいだは、どんな科学もパンをもたらしてくれず、結局のところ、自分の自由をわれわれの足もとに差しだし、こう言うことになる。『いっそ奴隷にしてくれたほうがいい、でも、わたしたちを食べさせてください』
こうして、ついに自分から悟るのだ。自由と、地上に十分にゆきわたるパンは、両立しがたいものなのだということを。なぜなら、彼らはたとえ何があろうと、おたがい同士、分け合うということを知らないからだ！　そしてそこで、自分たちがけっして自由たりえないということも納得するのだ。なぜなら、彼らは非力で、罪深く、ろくでもない存在でありながら、それでも反逆者なのだから。
おまえは彼らに天上のパンを約束したが、もういちど言う。非力でどこまでも罪深く、どこまでも卑しい人間という種族の目から見て、天上のパンは、はたして地上のパンに匹敵しうるものだろうか？
（『カラマーゾフの兄弟 2』）

人間、パンを食べないと生きていけんやろ！　とイワンは言う。
みんなが自由を求めていったら、結局、パンを食べられる人は限られる。みんなに平等にいきわたる自由とパンは、両立しない、と。

私はキリスト教についてはちょっとぴんと来ない点も多いのだけど、このあたりのイワンの台詞なんかは、現代の資本主義が進みすぎて新自由主義に至った今の状況を予言しているようで、面白いなあ、と思ってしまう。私たちは、パンを食べなければいけない限り、けして、自由にはなれない。

天上のパン――つまりは自分の精神の向上や精進することと、地上のパン――つまりは毎日ご飯を食べていくことは、本当に、同じ価値だと言えるのか？

私たちに自由な意志なんてなくて、ほんとは、パンをあげると言われたらそれに釣られてしまう存在じゃないか？　人間なんて、その程度の動物じゃないか？

イワンの切実な問いかけは、けっこう、胸に響くものがある。

私は『カラマーゾフの兄弟』のなかでもイワンがかなり好きで、彼に肩入れして読んでしまうのだけど。彼の思想を聞く三男アリョーシャがおろおろして、「そんなこと言ったらどうやって世界を愛するんですか！」と叫ぶシーンなんかもけっこう好きだ。自由意志があるからこそ、人は世界を愛することができるのでしょう、とアリョーシャは信じている。

「それじゃ、ねばねばした若葉や、だいじなお墓や、青空や、愛している女性はどうなるんです！　どうやって生きていけるんです、どうやってそれらを愛していけるんです？」アリョーシャが悲しげに叫んだ。「そんな地獄を心や頭に抱いて、そんなことが可能なんですか。いいえ、兄さんは出かけてって、あの人たちとくっつこうとしているんです……もし、そうじゃなかったら、自殺してしまう、どうしても耐え切れずに！」

（同書）

そして去り際に続くイワンの返答も引用しよう。イワンは神を信じていないし、人間に自由の意志などないと言ってるものの、人を愛することはできる。弟を愛しているからだ。

「じつはな、アリョーシャ」イワンが毅然たる調子で言った。「じっさい、このおれにねばねばした若葉を愛する力があるとしてもだ。おれが若葉を愛せるのは、おまえを思い出すときだけなんだ。おまえがこの世のどこかにいるってことだけで、おれには十分だし、生きる気がしなくなるなんてことはまずない。こんな話、もういやか？　なんなら、愛の告白と受けとってくれてもいいぞ。

（同書）

きょ、兄弟愛がこんなに美しく台詞になったことがあったか……と感動しちゃう場面だけど。こんなふうに神は信じていないけど弟を美しく愛していたイワンが、最後、発狂して、『カラマーゾフの兄弟』の物語は終わる。

どうしてそんなことになったのか。ぜひ物語を読んでほしい。ついでに父殺しの真犯人も読んで知ってほしいし。『カラマーゾフの兄弟』、名作だよ。

名作や古典と呼ばれている小説には、たいてい、今読んでも「たしかにねぇ」と思える問いかけが、テーマが、台詞が、人物が、メタファーが、描かれている。それらを楽しむことと比べれば、あらすじなんて、些細(ささい)なものだ。あらすじそのものより、小説が叫ぼうとしているものや、台詞のすみずみに込められた感情を味わうほうが、絶対面白く小説を読むことができる、と私は思う。

i 『世界文学を読みほどく：スタンダールからピンキョンまで』（池澤夏樹著、新潮社、2017年）

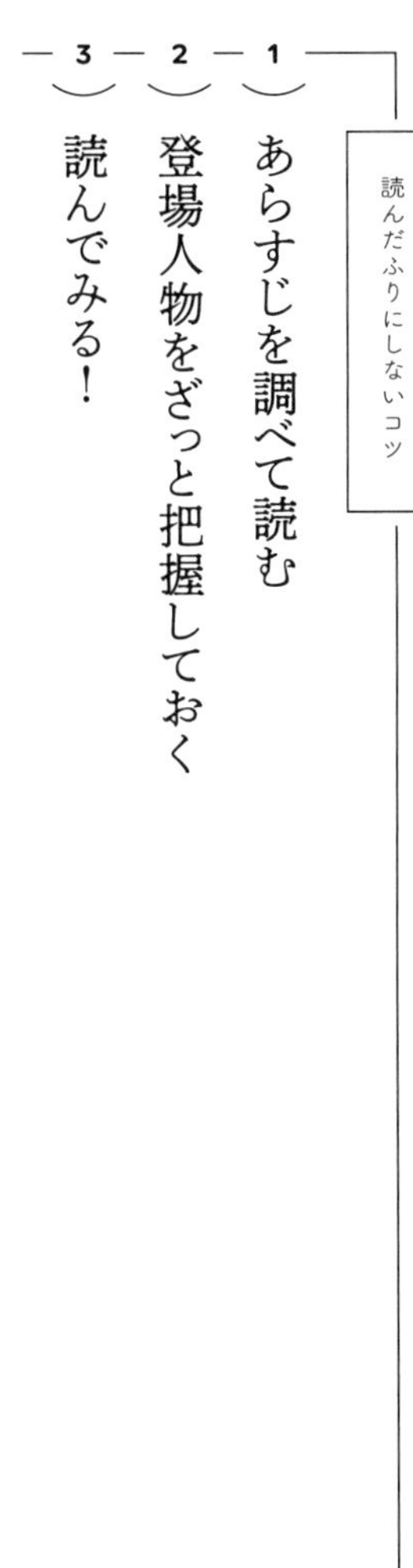

読んだふりにしないコツ
1）あらすじを調べて読む
2）登場人物をざっと把握しておく
3）読んでみる！

緑にひかる灯台の先に、明日を追うギャツビー！これぞアメリカ文学。

読む技術：翻訳は何冊か読み比べて好みに合ったものを

読む小説：『グレート・ギャツビー』

『グレート・ギャツビー』
フィッツジェラルド著

時は狂乱の1920年代アメリカ。語り手ニックは、ウエスト・エッグに引っ越してくると、隣人が夜な夜な盛大なパーティーを開催していることを知る。隣人の名はギャツビー。ある日、ニックもパーティーに参加することになる。そして彼は、ギャツビーが夜な夜な彼がパーティーをひらく本当の理由を知るのだった。

『グレート・ギャツビー』という小説は、とてもうつくしい物語だと私は思う。台詞ひとつとっても、風景描写を見ても、わあうつくしいなあと感じる。……が、そのうつくしさは、ぶっちゃけ作者のフィッツジェラルドがつくったものが60％とすれば、40％は別の人がつくっている。

私たちと『グレート・ギャツビー』のあいだに存在する一枚の分厚い膜。残り40％の正体。

それは**翻訳**である。

海外文学入門するにあたって、まず第一関門になってしまうハードルは、翻訳口調じゃないだろうか……と私は思う。

まわりくどい言い回しや、なかなか現代ではお目にかからないちょっと変な女言葉や老人言葉。違和感を覚えて当然だ。ちなみに私は小さいころ、『ハリー・ポッター』シリーズのヴォルデモートの一人称が「俺様」であることに違和感を覚えて、なかなか読み進められなかった記憶がある。ごめんなさい。

翻訳は小説の読み味を変えてしまう。

だとすれば、私たち日本の読者（というか、翻訳を読む人）は、どうすれば翻訳文学を楽しく読むことができるだろう？　「えーなんか言い回しむずい」とか思わずに、すらすら海外文学を楽しむにはどうしたら？

まずは、こちらの文章を読んでみてほしい。

ぼくがまだ年若く、いまよりもっと傷つきやすい心を持っていた時分に、父がある忠告を与えてくれたけれど、爾来ぼくは、その忠告を、心の中でくりかえし反芻してきた。

「ひとを批判したいような気持が起きた場合にはだな」と、父は言うのである。「この世の中の人がみんなおまえと同じように恵まれているわけではないということを、ちょっと思いだしてみるのだ」

父はこれ以上多くを語らなかった。しかし、父とぼくとは、多くを語らずして人なみ以上に意を通じ合うのが常だったから、この父のことばにもいろいろ言外の意味がこめられていることがぼくにはわかっていた。

（『グレート・ギャツビー』野崎孝訳、新潮社、１９８９年）

ハイ、分かりやすいし雰囲気はあるんだけど、ちょっとだけ翻訳文体初心者には厳しいかもしれない文体。え、全然大丈夫? うーん、「爾来ぼくは、その忠告を、心の中でくりかえし反芻してきた」とか言われると一瞬ひるんじゃう人もいるんじゃないかと思うんだけど。

面白いのが、父親の口調が、「〜だな」とか「〜のだ」とか、ちょっと威厳ある感じに訳されているところ。日本語の語尾や一人称は、とくに昔の翻訳文体だとかなりジェンダーや年齢によって変化させている（たとえばお姉さんだったら「〜だわ」って語尾にしたり、おじいさんだったら「〜じゃ」って言わせたり。もともとの文体というより、翻訳によって加えられた語尾だ）。だけどそれが逆に、翻訳文体を読みづらくさせている、とも私は思う。だって、いきなり「〜じゃ」とか言い出すおじいさんが現れたら、ちょっと身構えるじゃないですか。ドラゴンボールじゃあるまいし。

私がまだ若く、いまよりも心が傷つきやすかったころ、父が私に忠告してくれたことがある。それ以来そのことが心から去らない。

「だれとは限らないが、他人のことをかれこれ言いたい気持になったときは」と父は言った、「世の中は、お前と同じような長所を持った人間ばかりではないということを、よく覚えておくことだよ」
父はそれ以上言わなかった。しかし私たちは、あまり口数を多く語り合わなくても、いつも相手の言う意味がよくわかっていた。

（『華麗なるギャツビー』佐藤亮一訳、講談社、２０１２年）

さて佐藤訳になると、かなり簡略化されたように感じるかもしれない。野崎訳だと「父とぼくとは、多くを語らずして人なみ以上に意を通じ合うのが常だったから、この父のことばにもいろいろ言外の意味がこめられていることがぼくにはわかっていた」と訳している最後の文章が、「しかし私たちは、あまり口数を多く語り合わなくても、いつも相手の言う意味がよくわかっていた」とすっきりまとまっている。

このすっきりされた翻訳が、好みかどうかは人による。なぜならフィッツジェラルドの原文に近いのは野崎訳のほうだから。英語を日本語に訳すとき、どこまで直訳すればいいのか、という難問については、あなたも英文和訳をつくった高校時代に直面したことがあるでしょう。まあこういうのはどっちがいいとかじゃなくて好みですね。

そう、翻訳を読むときいかに「自分の好みに合った文体を探すか」という楽しみ方が実はある。運よく自分の好みのリズム、語尾、言い回しをしてくれる翻訳者に出会ったら、ぶっちゃけその人が訳している小説を読んでいけばいいくらい。私は何人か自分の好みの文体で訳してくれる翻訳者さんがいるので、その人が訳した小説はだいたい新刊が出たら読むようにしている。

僕がまだ年若く、心に傷を負いやすかったころ、父親がひとつ忠告を与えてくれた。その言葉について僕は、ことあるごとに考えをめぐらせてきた。

「誰かのことを批判したくなったときには、こう考えるようにするんだよ」と父は言った。「世間のすべての人が、お前のように恵まれた条件を与えられたわけではないのだと」

父はそれ以上の細かい説明をしてくれなかったけれど、僕と父のあいだにはいつも、多くを語らずとも何につけ人並み以上にわかりあえるところがあった。だから、そこにはきっと見かけよりずっと深い意味が込められているのだろうという察しはついた。

（『グレート・ギャツビー』村上春樹訳、中央公論新社、２００６年）

個人的には、やっぱり村上春樹の翻訳は読みやすいし、とくに『グレート・ギャツビー』みたいな村上春樹の文体が似合う小説を訳したときは最高ではないか、と思ってしまう。だって「僕と父のあいだにはいつも、多くを語らずとも何につけ人並み以上にわかりあえるところがあった」とか、やっぱり分かりやすい以上に伝わってくる親密さがありませんか？　こういう言外の情報を伝えてくれる翻訳が私は好き。

まだ大人になりきれなかった私が父に言われて、ずっと心の中で思い返していることがある。

「人のことをあれこれ言いたくなったら、ちょっと考えてみるがいい。この世の中、みんながみんな恵まれているわけじゃなかろう」

父はそれしか言わなかったが、もともと黙っていても通じるような親子なので、父が口数以上にものを言ったことはわかっていた。

（『グレート・ギャッツビー』小川高義訳、光文社、２００９年）

ぐっと情報量が少なくなって、すっきりと読みやすい。この文章を読んでしまえば、村上春樹とかちょっとくどいな、と思う読者がいるのも分かる。「もともと黙っていても通じるような親子なので」なんて、お見事な分かりやすくて短い訳だ。

余談だけど、光文社古典新訳文庫の翻訳はどれもかなりすっきりと分かりやすく、読みやすいので、海外古典小説初心者は、まずは光文社古典新訳文庫を手に取ってみてほしい！　私も、海外古典の長い小説を読むときは、たいてい光文社の翻訳で読む。

そんなわけで、翻訳四パターンをもってしても、それぞれ、読みやすさや長さ、言い回しがちがうのが分かっただろうか？

私はけっこう翻訳の文体が気になってしまうたちなので、海外の古典や名作と呼ばれる小説を読むときは、大きい本屋さんに行って、文庫を何種類かぱらぱら立ち読みする。それこそ光文社は読みやすい文体が多いし、岩波はかたい文体が多い。新潮社は最近新訳シリーズをよく出していて、読みやすい文体バージョンで古典小説を出版し直していることも多い。

ただ難しくも面白いなと感じるところが、翻訳によって、かなり主人公のイメージが変わるところ。

たとえば『グレート・ギャツビー』は、村上春樹訳だといかにも青年期の回想なのだけど、野崎訳だともう少し年上の回想に感じる。あるいは、ヒロイン・ゼルダの印象もかなり変わる。

これは持論なのだけど、翻訳によってとくに女性キャラの印象は変わりやすい、と私は思っている。「えー、もう少しおてんばな女の子じゃない？」とか「ちょっとおとなしくてお嬢様っぽい言葉遣いさせすぎじゃない？」とか、翻訳が変わると、女性のキャラクターは、がらっとちがって見えるのだ。長らく翻訳文体が「〜だわ」とか「〜よ」といった女性的な語尾を用いすぎたせいかもしれないし、女性の日本語は年齢によって言葉遣いが変わりやすい、と思われているからかもしれない。ある翻訳では、ただ高慢で自信家でしかない女性キャラが、他方の翻訳では、もう少し陰のある女性に見えたりするのだ。

そんなわけで、この小説を「あ、面白いな」と思えるかどうかは、けっこう翻訳によって異なる。

せっかく出会った小説なのだ、自分の好みに合った文体で楽しめたらそれがいちばんいい。翻訳だからって、小難しく、昔っぽい言い回しでないと読めないなんてことはない。

本屋さんや図書館で、海外の古典小説に出会いたいと思ったときは、ぜひ一ページ目だけでも翻訳を読み比べてみることをおすすめする。

一ページ目で「あー、これ面白い」と思える文体があれば、その後も面白く読み進められるだろうから。

読んだふりにしないコツ

1 古典海外文学初心者は、大きい本屋か図書館に行く
2 翻訳の1ページ目を読み比べる
3 いちばん読みやすい翻訳で読もう！

漱石は照れ屋である。だから猫に託さないと、本当のことが書けなかった。

読む技術：前提を楽しむ

読む小説：『吾輩は猫である』

『吾輩は猫である』
夏目漱石著

明治時代の東京。語り手の猫は、今日も珍妙な飼い主・英語教師や門下生の書生たち、飼われている家の人間たちを観察する。ちょっとした恋愛沙汰や、文明風刺もあるけれど、猫はユーモアをもって彼らをまなざす。

「吾輩は猫である。名前はまだ無い」
書き出しは、もしかしたら日本でいちばん有名かもしれない。
だけどこのあとに続く文章を、読んだことはあるだろうか？

どこで生れたかとんと見当がつかぬ。何でも薄暗いじめじめした所でニャーニャー泣いていた事だけは記憶している。吾輩はここで始めて人間というものを見た。しかもあとで聞くとそれは書生という人間中で一番獰悪（どうあく）な種族であったそうだ。この書生というのは時々我々を捕まえて煮て食うという話である。

（『吾輩は猫である』）

なんとなく読んでも笑える。「書生というのは時々我々を捕まえて煮て食うという話である」とか、くすっと笑えることに異論はない。
だけど、実はこの文章は、もっと面白く読める。これを書いていた漱石のことを考えれば、さらに面白くなる。

作家・夏目漱石が誕生したデビュー作『吾輩は猫である』。これを書き始めたときの漱石は、けっして順風満帆な人生を送っていたわけではなかった。

そもそも漱石といえば、20代は帝国大学の英文科を出て、英語の教師をしていた。このとき彼は帝大生時代の友人・正岡子規と俳句をつくっていたりした。むしろ俳句の世界で有名だったのだ。才能のある人でも、若いころは意外とちがうことしてたりするもんだよな。

そしてエリート漱石は、文部省からイギリス留学を命じられる。英語教育を勉強してこい、と命じられる33歳。エリートだ。しかし漱石は、もともとわりと神経症気味……というかちょっと精神の弱い部分があって、イギリスで完全に引きこもりと化してしまったのである。日本から来た友人も心配するくらいの病みっぷりだったらしい。「漱石、発狂」という噂が文部省に流れる。漱石は「日本へ帰ってこい！」と命じられ、帰国することになってしまう。このあたりのイギリス留学日記は、『漱石日記』[i]という日記におさめられているのだけど、まあ面白いから読んでほしい。

ぶっちゃけイギリスでもかなり病んでいた漱石だったけど、日本に帰ってきて東京帝国大学であらためて英語の教鞭をとることになってさらにめちゃくちゃ病んだ。

というかもう精神的に参ってしまっていたようで、かんしゃくを人前で起こすレベルだったらしい。漱石……。

もともと病みがちな漱石だったが、あるとき決定的な事件が起こってしまう。漱石が叱った帝大生が、数日後に自殺してしまったのだ。けっこうこの自殺が派手に報道されたもんだから（なんせ天下の東大生が、華厳の滝に入水自殺だ）、漱石はますます病んで、もはや授業もあまりできない状態になってしまった。

……という、追い詰められきった漱石に「まアなんかてきとーに文章でも書いてみれば」とすすめたのが、友人の高浜虚子だった。そうして書き始めたのが、デビュー作となる『吾輩は猫である』なのだった。

漱石はべらぼうに賢かった。文章を読めば賢いのは分かるけど、実際に成績もかなりよかったらしい。じゃないと国費留学なんてさせてもらえないだろうけれど。だけどその一方で、漱石は自分の体調にも神経症にもずっと悩まされていた。いや、賢いからこそ、神経症になるまで考え続けることができるのかもしれない。

この漱石の経歴を知ってから『吾輩は猫である』を読むと、「書生が猫を煮て食うらしい」なんて文章にも、「本ばっかり読んでる学生は、貧乏すぎて、猫すら煮こんで食べたくなっちゃうらしいぞ」という意味がひそんでいることが分かって、笑えてしまう。つまりは、漱石がそもそも普段から知識人ぶっている学生を「けっ」と思っていたのかもしれないし、あるいは貧乏生活を家族に送らせている自分自身のことを皮肉っているのかもしれない。

吾輩の主人は滅多に吾輩と顔を合せる事がない。職業は教師だそうだ。学校から帰ると終日書斎に這入ったぎりほとんど出て来る事がない。家のものは大変な勉強家だと思っている。当人も勉強家であるかのごとく見せている。しかし実際はうちのものがいうような勤勉家ではない。吾輩は時々忍び足に彼の書斎を覗いて見るが、彼はよく昼寝をしている事がある。時々読みかけてある本の上に涎をたらしている。彼は胃弱で皮膚の色が淡黄色を帯びて弾力のない不活溌な徴候をあらわしている。その癖に大飯を食う。大飯を食った後でタカジヤスターゼを飲む。飲んだ後で書物をひろげる。二三ページ読むと眠くなる。涎を本の上へ垂らす。これが彼の毎夜繰り返す日課である。

（同書）

小説の冒頭にこんな場面があるのも、あきらかに教師としての自分に対する風刺だろう。風刺っちゅーか、まあ、ユーモアですね。夏目漱石自身の「まじ神経症」という側面や、「教師をやって追い詰められた」という側面を知っていると、余計に、猫にこう語らせた面白さが増してくる。ちなみにこの文章は以下のように続く。

吾輩は猫ながら時々考える事がある。教師というものは実に楽なものだ。人間と生れたら教師となるに限る。こんなに寝ていて勤まるものなら猫にでも出来ぬ事はないと。それでも主人に云わせると教師ほどつらいものはないそうで彼は友達が来る度に何とかかんとか不平を鳴らしている。

（同書）

いやはや。夏目漱石先生。と、苦笑しつつ読みたくなってしまう。

そう、『吾輩は猫である』は、何も知らずに読むと「ただ猫が明治時代の東京の風景やひとびとを皮肉に見つめる話」なのだけど。漱石の経歴を含めて読めば、「教師をやめてまいっていた漱石が、猫という『自分ではない語り手』を見つけたら楽しくなって書いた話」に、見えてくるのだ。

『吾輩は猫である』には、「わー筆がノッたんだろうなー」と思える文章がいくつもあって、それを見つけるのはとても楽しい。たとえば「どこで生れたかとんと見当がつかぬ。何でも薄暗いじめじめした所でニャーニャー泣いていた事だけは記憶している。吾輩はここで始めて人間というものを見た。しかもあとで聞くとそれは書生という人間中で一番獰悪な種族であったそうだ」なんて、書いてて楽しそうだなオイ、と思える。

漱石の人生を知ってから『吾輩は猫である』を読むと、またちがったふうに読める。たとえば私がけっこう「うおお」と興奮したのは、以下の台詞が登場した時だ。

「いたずらは、たいがい常識をかいていますさあ。救っておやんなさい。功徳（くどく）になりますよ。あの容子（ようす）じゃ華厳の滝へ出掛けますよ」

（同書）

華厳の滝。言うまでもなく、漱石が自殺に追い込んだと噂された、東大の青年が自殺した場所である。この台詞のブラックジョークっぷり（まあジョークだけではないと思うけれど）を察することができるのは、漱石の人生という前提を知っている人だけだ。

さて、そんなふうに「明らかに漱石自身やろ」と言いたくなる猫の飼い主がいたり、漱石の周りにいた書生たちをモデルにしたであろう登場人物がいたり。漱石の実際の生活がモデルにあったんだ！　というだけでも面白く読める。が、私としてはさらに『吾輩は猫である』が面白く読める方法をご紹介したい。

それからしばらくの間は自分で自分の動静を伺うため、じっとすくんでいた。次第にからだが暖かになる。眼のふちがぽうっとする。耳がほてる。歌がうたいたくなる。猫じゃ猫じゃが踊りたくなる。主人も迷亭も独仙も糞（くそ）を食（くら）えと云う気になる。金田のじいさんを引掻（ひっか）いてやりたくなる。妻君の鼻を食い欠きたくなる。いろいろになる。最後にふらふらと立ちたくなる。起（た）ったらよたよたあるきたくなる。こいつは面白いとそとへ出たくなる。出ると御月様今晩はと挨拶したくなる。どうも愉快だ。
陶然とはこんな事を云うのだろうと思いながら、あてもなく、そこかしこと散歩するような、しないような心持でしまりのない足をいい加減に運ばせてゆくと、何だかしきりに眠い。寝ているのだか、あるいてるのだか判然しない。眼はあけるつもりだが重い事夥しい。こうなればそれまでだ。海だろうが、山だろうが驚ろかないんだと、前足をぐにゃりと前へ出したと思う途端ぼちゃんと音がして、はっと云ううち、――やられた。どうやられたのか考える間がない。ただやられたなと気がつくか、つかないのにあとは滅茶苦茶になってしまった。

（同書）

いきなり小説の最後に飛ぶが、『吾輩は猫である』は、猫が死んで終わる。猫はビールを飲んで、酔っぱらう。気分がよくなる。そのままふらふら歩いていたら、水がめにぼちゃんと落ちて、溺れて死ぬのである。
読者としては「⁉ 猫、死ぬ⁉」と焦る。猫も最初はばちゃばちゃと苦しんでいたが、次第に溺れることへの抵抗をなくす。『吾輩は猫である』は、猫が水がめに落ちて、苦しむものの、「いやこんなに苦しむのはがんばって上に上がろうとするからだ。自然に任せよう」とあきらめて死んでいく場面で終わるのだ。

わりと衝撃的な結末だと思うのだが、この場面には実は出典がある。すでに先行研究[ii]から、トマス・グレイというイギリスの詩人の『金魚鉢で溺れたお気に入りの猫の死に寄せるオード』という詩が元ネタであろう、と言われているのだ。

グレイの詩は、金魚をとろうとして金魚鉢でおぼれ死んだ猫のことを詩にしているのだが（なんちゅー題材だ）、英文学に精通していた漱石ならまあ知っていただろう。実際、猫のごぼごぼ苦しむ様子は、オードの描写によく似ている。

と、いう前提を知って読むと、実はすでに小説中盤において何気なく、「吾輩もこの頃では普通一般の猫ではない。まず桃川如燕（ももかわじょえん）以後の猫か、グレーの金魚を偸（ぬす）んだ猫くらいの資格は充分あると思う」という一節が登場していることに気づく。グレーの金魚を盗んだ猫、ってあきらかに『金魚鉢で溺れたお気に入りの猫』のことである。漱石は、ここでさらりと猫の結末についての伏線を張っていたのだ。面白くないですか。

こんなふうに、小説の出典となるネタを知っていると、小説はより面白く読める。漱石の人生を知っていても面白いけれど、漱石が下敷きにした文学を知るとさらに面白い。

ほかにも、ローレンス・スターンの書いた『トリストラム・シャンディ』というイギリスの小説が、『吾輩は猫である』の文体に影響を与えたのでは？　とか、漱石は認めたがらなかったけれど実はホフマンの『牡猫ムルの人生観』という小説が、ほぼ構成も一緒だし着眼を得たのでは？　とか。

べつに『吾輩は猫である』は他の小説のパクリだった！　という話ではない。たいてい世の中の創作物は、自分が読んだもの見たものに影響されてできている。オリジナルはオマージュから生まれる。

読者としてその小説を楽しむとき、作者が参考にしたり出典にしたりした「前提」の物語を知っておくと、より、面白いかも⁉　という話だ。

さて、最後に、私が『吾輩は猫である』のなかでかなり好きな台詞を載せて終わりたい。

「死ぬ事は苦しい、しかし死ぬ事が出来なければなお苦しい。神経衰弱の国民には生きている事が死よりもはなはだしき苦痛である。したがって死を苦にする。死ぬのが厭だから苦にするのではない、どうして死ぬのが一番よかろうと心配するのである。ただたいていのものは智慧が足りないから自然のままに放擲しておくうちに、世間がいじめ殺してくれる。しかし一と癖あるものは世間からなし崩しにいじめ殺されて満足するものではない。必ずや死に方に付いて種々考究の結果、嶄新な名案を呈出するに違ない。だからして世界向後の趨勢は自殺者が増加して、その自殺者が皆独創的な方法をもってこの世を去るに違ない」

「大分物騒な事になりますね」

「なるよ。たしかになるよ。アーサー・ジョーンスと云う人のかいた脚本のなかにしきりに自殺を主張する哲学者があって……」

「自殺するんですか」

「ところが惜しい事にしないのだがね。しかし今から千年も立てばみんな実行するに相違ないよ。万年の後には死と云えば自殺よりほかに存在しないもののように考えられるようになる」
「大変な事になりますね」

（同書）

いや〜〜〜〜〜ほんとにいいよね。漱石はいいよねえ。死にたい、って言ってる人間はこの世にごまんといるし、それはまあべつにいいんだけど、そのなかでこんなにもいい文章を生み出せる人間は漱石しかいない。いなかった。百年たっても画期的な自殺方法なんて生み出せるほど人間は賢くなくて、結局漱石がいちばん賢い。うう。

こんな文章を書いた漱石先生は、結局、生涯自殺しない。病に苦しみきって亡くなったらしい。見てみろ太宰に芥川に三島に川端、と漱石ファンとしては言いたくなる。

i 『漱石日記』（夏目漱石著、平岡敏夫編、岩波書店、１９９０年）

ii 「漱石の猫とグレイの猫」（飯島武久著、『英語青年』１２９巻８号、研究社出版、１９８３年）

読んだふりにしないコツ

1 作者の経歴を知る
2 小説の解説を読んで、元ネタを知る
3 1、2をふまえた上で読んでみる

不要不急のフランス文学のなかでウイルスに立ち向かう人間がずっと前に描かれてたんですよ。

読む技術：作者の考え方を楽しむ

読む小説：『ペスト』

『ペスト』
カミュ著、宮崎嶺雄訳、新潮社、1969年

舞台はアルジェリア、ある街にペストが流行する。パニック寸前、死者の数はどんどん増え、街は外部から遮断されることになる。医師リウーは必死にペスト患者の治療を続ける。街からの脱出計画をはかる人間もいたが、しかしペストはどんどん威力を拡大する。

あの小説を誰よりも楽しく読む方法

『ペスト』

なぜ作家は、小説なんて、こめんどくさいもんを書くのだろう？

……作家たるもの、小説を書かずにはいられないから――！　とか言えるとなんかかっこいいし芥川賞受賞スピーチでもやんのかおら、というテンションになるけれど。実際のところ、「小説じゃないと伝わらない思想が作家のなかにあるから」じゃないかと思う。

なんでそう思うかっていうと、作家の小説には、やはりその作家の思想が裏付けにあることが多いからだ。

作家は、他人に伝えたくなってしまう考え方や思想、あるいはテーマや風景を持っている。しかしそれは普通に言葉にしただけでは伝わらない。物語という形でしか、うまく外界に伝わらないのだ。だからこそ物語という形をとらざるをえない。

作家という人間は、ただ物語という器をつくる役割だと思われがちである。AとBというキャラクターがいて、そのAとBのあいだで起こった出来事を描く。それが物語になって、小説になる。と、考えられがちだ。

しかし本当は、小説になる手前には、作家の抱いている問題意識、悩み、あるいは考えたいテーマ、あるいはなんとなく浮かんでいるイメージ、風景、好きな会話……

そんなものが存在する。

「え、じゃあわざわざ物語にしなくていいじゃん。エッセイなり意見表明の記事なりにして、自分の言いたいことそのまんま書けばいいんじゃないん？　ていうか、物語にしてまわりくどいやりかたにしないといけないって、何？」

まあ普通の人間ならそう考える。しかしふつうに意見を述べるだけじゃ、書きたいことが書けない。そういう人種が、作家になり、物語を綴るんだろう。

本当に作家がそう思って書いているのかどうかは分からない。実際は思想なんてないよ、書きたい物語を書いてるだけだよ、と作家はうそぶくかもしれない。しかし少なくとも読者は、「思想があるという前提をふまえて」小説を読むと、だいぶ、ちがって見える。作家には思想がある。その前提をもって読めば、「ただストーリーを追いかけて、『へえ、それで？』と首をかしげて終わる」体験をかなり避けられたりする。

今回扱う小説は『ペスト』。カミュの書いた、だいたい80年ほど前の物語である。

この原稿を書いている最中に問題となっている新型コロナウイルスの影響で、この小説を知った方もいるかもしれない。なぜなら、『ペスト』に描かれている風景は、「ウイルスが流行した世界において、人々がどのように生きているか」という、現代の新型ウイルスに驚く私たちにとってとても他人事とは思えないエピソードだから。なんと現在『ペスト』はベストセラー入りしてたりする。すごい。

そんな『ペスト』だけど、さあどんなウイルスの状況が綴られているのかな……と思って読み始めると、面食らうかもしれない。なぜなら、こんな文章から小説が始まるから。

この記録の主題をなす奇異な事件は、一九四＊年、オラン（訳注　アルジェリアの要港）に起った。通常というには少々けたはずれの事件なのに、起った場所がそれにふさわしくないというのが一般の意見である。最初見た眼には、オランはなるほど通常の町であり、アルジェリア海岸におけるフランスの一県庁所在地以上の何ものでもない。

（『ペスト』）

「記録」で始まる小説。この小説の面白いところ、あるいは慣れていないと難しいところは、「主人公」といえる人が、なかなか出てこないところ。主人公が出てこない代わりに出てくるのが何かと言えば、町の「記録」である。

余談だけど、海外の古典小説にはこの書き方が多い。とくにフランス。舞台が有名な『レ・ミゼラブル』なんて、映画や舞台が面白かったから小説を読んでみようと手を伸ばしてみると、本当になっかなかジャン・バルジャンが出てこなくてびっくりする。あるいは「長くて読み切れない古典小説」として有名な『失われた時を求めて』なんかもいい例である。マドレーヌをひたして過去を思い出す最初は有名だけれど、それにしたって主要キャラがなかなか出てこない。

こんなふうに、「町の風景」から始まって、なかなか人物が出てこないのは、「海外古典小説あるある」だ。というか、そういうものだと了解してしまえばいい。ぶっちゃけ、「いつ物語が始まるのか、ていうかこれ面白いのかいったい」と考えるから小説は分からなくなる。映画だったら、最初の数分、町の風景をただうつすだけの長まわしでも「ふーん」って感じで見ちゃうでしょう。それと同じだと思えばいいのだ。「ふーん、当時のアルジェリアってこんな感じでフランス人からは見られたのね」とか適当なことを考えて読んだらいい。

で、少し読み進めていると、主人公は「記録」の語り手とは別の、医者であることが分かる。医者リウー。彼が感染症が流行っていることに気づき、その正体がペストであるとした医者だ。『ペスト』は、アルジェリアの都市オランにて、感染症ペストが流行したなかで、医師リウーがいかに病と立ち向かうか、を描いた話なのである。

しかしこの話、だんだん読み進めていくと、違和感を覚える。

「誰でもめいめい自分のうちにペストをもっているんだ。なぜかといえば誰一人、まったくこの世に誰一人、その病毒を免れているものはないからだ。そうして、引っきりなしに自分で警戒していなければ、ちょっとうっかりした瞬間に、ほかのものの顔に息を吹きかけて、病毒をくっつけちまうようなことになる。自然なものというのは、病菌なのだ。そのほかのもの――健康とか無傷とか、なんなら清浄といってもいいが、そういうものは意志の結果で、しかもその意志は決してゆるめてはならないのだ。りっぱな人間、つまりほとんど誰にも病毒を感染させない人間とは、できるだけ気をゆるめない人間のことだ。しかも、そのためには、それこそよっぽどの意志と緊張をもって、決して気をゆるめないようにしていなければならんのだ。」

（同書）

「誰でもめいめい自分のうちにペストをもっているんだ」。この言葉、ただ「ペストというウイルスが流行した町を描いたストーリー」のなかにあって、ちょっと違和感を抱く言葉じゃないだろうか。いや、誰でもペストを持っているなら、本来、みんながペストにかかって死んでしまうやろ。おかしい。とツッコミを入れたくなる。

でも、ここにカミュ自身の思想が隠されていると仮定すれば、どうだろうか？

カミュは、自然にしていれば、そもそも病菌がうつってくる……と述べる。病菌がうつってきたり、うつしたりするのが自然な状態であって、それに対して、「誰にも病菌を感染させない状態」でいるには、かなり気をはっていなければいけないらしい。誰にも病菌をうつさないよう、意志と緊張をもたなければ、りっぱな人間にはなれない。……カミュはそう述べている。

カンのいい方はもう分かるだろう。カミュは「ペスト」を、なにかしらのメタファーとして語っている。つまり、カミュはペストが流行した街を描くことで、「この世の悪は、そもそも自然な状態だと誰でも内側に持っているもの。でもそれを人にうつさないようにするためには、絶え間ない努力が必要だ」ということを述べる。カミュが本当に描きたかったのは、「そもそも人間は、普通にしてればわるい性質を持っている」というカミュ自身の思想と、「だけどそれによって他人に加害しない人間であるためには、どうしたらいいいんだろう？」という問いかけではなかっただろうか。

はたして、ペストはなんのメタファーか？　という問いの答えは、読者がそれぞれ考えたらいい。１９４７年のフランスで出版されたという事情を考えれば、ペストは当時のナチスドイツに代表されるような思想そのものだった、という解釈もあり。あるいはカミュ自身の思想的背景を考えると、なんの理由もなく襲ってくるこの世の不条理全体のことを表現しているんだ、と考えることもできる。私は、結局人間は、悪や怠惰や暴力のような他人に害を与えるものを内包して生まれてきてしまう、その象徴としてペストを描いたのかな、なんて考えている。性悪説みたいな話かな、と。

どちらにせよ、作者カミュはだいぶ真面目な考え方をする人だな……と私は思う。たしかに実際にウイルスが流行ってみれば、「人に感染させないこと」つまりは自分が加害者にならないことをがんばる、という思想は一般的になった（くしくも私たちの間では新型コロナウイルスの影響で、そんな思想が流行ったように思う)。だけどウイルスじゃなくて、自分の考え方や行動が、「人に悪としてうつらないように」行動すべき、というのは、だいぶ真面目な考え方だと思う。だって、人間はみんなありのままに生きてれば悪になっちゃうんですよ? ありのままの自分を歌った某ディズニー映画ヒロインもびっくりな真面目っぷり、というか、悲観主義者である。

しかし、この真面目な考え方に、私はわりと共感できる。私はとくに真面目ではないけれど、「そもそも人はデフォルトでわるいやつで、教育なり社会の目なり、規律を定めるシステムがあってはじめて、いいやつになり得るんだよな」と思うことはある。

だけどたとえば「人間ありのままがいちばん!」という言説が流行していた時代だったら、こんな考え方は「ちょっとネガティブすぎる」と思われてしまうだろう。えー、そうかな、人間ありのままはろくでもないよ〜、と考えてるのは私一人ではないか……なんて寂しくなることもあるだろう。

そんな時カミュを読むと、安心できる。なぜならカミュの真面目な考え方が、今の流行には沿わないけれど、自分に合っているから。

こんなふうにストーリーの起承転結をただ楽しむよりも、小説に隠された作者の考え方を楽しんだほうが面白くなる小説は、意外と多い。ストーリーからにじみ出る作者の考え方に、共感したり、あるいは「へえ、こんな考え方する人いるんだ。自分とはちがうし気は合わないけど面白いな」と思ったりする。

それは、直接「ありのままはろくでもないよ！」って言われるよりも、ペストが流行した街、という設定で説かれるほうが、「あーなるほどな」と納得できたりするのだ。

読んだふりにしないコツ

1 小説には作者の思想が隠されていると思って読む

2 メタファーに潜む思想を味わう

若き学僧、金閣寺勤め。日本で一番、金閣寺をアイドルとして見た男。

読む技術：タイトルに問いかける

読む小説：『金閣寺』

『金閣寺』
三島由紀夫著、新潮社、1960年

実在する金閣寺放火事件の犯人をもとにして、小説に仕立て直した作品。若い僧侶は、昔からコンプレックスだらけの人生を送って来た。孤独感を何にも解消できなかった彼は、父から「あんなに美しいものはない」と聞かされていた金閣に、いつしか心酔してゆく。

小説を読んでいると、「なんでこれが題材なんか分からんけど、なんか大切なんだろうな……」と感じるモチーフが存在する。

いや、そんなむつかしい話ではない。

たとえば、『ペスト』ってタイトルだったら「ペスト」が大切な話なんだろうし。『H2』ってタイトルだったら「H」ってイニシャルがなにかの鍵になる話なんだろうなと思うし。あるいはタイトルに入ってなくても、「恥の多い人生を送ってきました」なんて書き出しで始められたら、「まあなんか恥ずかしかった記憶がこの小説にとって大切なんだろうな……」と察しはつく。

なかでも、「なぜこの単語をタイトルとしたのか?」を考えることは、小説を読むのに、わりと大切で、簡単に面白く読める方法のひとつだと私は思う。

タイトルじゃなくても、書き出しでもなんでもいいんだけど、「なぜこのモチーフを重要そうな場所に持ってきたのか?」は、小説を読むうえで、手軽に面白く読めるようになる問いのひとつだ。

たとえば、「なんで三島由紀夫は『金閣寺』なんてタイトルをつけたのか?」って考える、とか。

『金閣寺』くらい、タイトルが有名な小説もないだろう。

私なんて、京都へ修学旅行に行く、って決まったときに「とりあえず京都に行くからには『金閣寺』くらい読んでおくべきではないか」と思っていた。中学生だった私は『金閣寺』が小説としてどこがどう面白いのかさっぱり分からず、ひとまず目を通して終わった。役に立ったことといえば、修学旅行先で、賢そうな京都のタクシーのおじさんに「へえーお嬢さん三島なんて読むんですね」と感心されたことくらいであった……（よく分からないのに読んだって言うなよとツッコミを受けそうですが、それはそれ、中学二年生の読書なんてそんなもんです。少なくとも私の場合は……）。

で、そんなアホな思い出はどうでもいいんだけど、とりあえず三島由紀夫といえば『金閣寺』、金閣寺といえば三島由紀夫の『金閣寺』、という連想ゲームができあがるくらいには、タイトルが有名な小説である。

たぶん小説を読まなくても分かる。「この小説では金閣寺が重要な役割を果たすんだろうな」と。

小説を読む前にあらすじを知った人ならもっと分かる。「この小説は金閣寺を燃やす小説だから金閣寺ってタイトルなんだな」と。

まあ、それはそうだ。

小説のあらすじを知らない方のためにちょこっと説明しておくと、『金閣寺』は、作者三島由紀夫が実際の事件から着想を得て執筆した話だ。１９５０年に起こった、「金閣寺」への放火事件。犯人は、寺の青年僧だったという。

彼は昔から重度の吃音（きつおん）であり、周囲からからかわれてきた。さらに恋愛もうまくいかず、コンプレックス満載の人生。あるとき彼は金閣寺で修行生活を始めることとなる。彼は幼いころから、父に聞かされた「美しい金閣」にあこがれを抱き、地上でもっともうつくしい存在として金閣を思い浮かべてきたのである。

――実際に見た金閣は、想像よりもずっと、うつくしくなかったのだけど。

時代は戦時中。もしかしたらこの金閣は、空襲とともに焼けてしまうのかもしれない。そう思うと、彼は考えるようになる。実際に見えている金閣よりも、焼け朽ちる金閣は、かなしく、うつくしいのかもしれない……と。

青年僧・溝口の、屈折したコンプレックスや女性との関係、または友人・鶴川や柏木との関係をとおして、彼の自意識や理想や「美」への感覚が綴（つづ）られる。そして彼のなかでもっとも大切な「金閣」のイメージもまた、小説の展開とともに、変化していく。

まあとにかくこの小説を読んでいると、「彼にとって、金閣って、いったい何……?」と思わざるをえない。

いや、大げさではない。本当に「いったいなに……?」と思うのだ。たとえばこんな場面。

> そういう頭で金閣を見上げると、金閣は私の目からばかりでなく、頭からも滲み入って来るように思われる。その頭が日照りに応じて熱く、夕風に応じて忽ち涼しいように。
>
> 『金閣よ。やっとあなたのそばへ来て住むようになったよ』と、私は箒の手を休めて、心に呟くことがあった。『今すぐでなくてもいいから、いつかは私に親しみを示し、私にあなたの秘密を打明けてくれ。あなたの美しさは、もう少しのところではっきり見えそうでいて、まだ見えぬ。私の心象の金閣よりも、本物のほうがはっきり美しく見えるようにしてくれ。又もし、あなたが地上で比べるもの

がないほど美しいなら、何故それほど美しいのか、何故美しくあらねばならないのかを語ってくれ』

その夏の金閣は、つぎつぎと悲報が届いて来る戦争の暗い状態を餌にして、一そういきいきと輝やいているように見えた。六月にはすでに米軍がサイパンに上陸し、連合軍はノルマンジーの野を馳駆していた。拝観者の数もいちじるしく減り、金閣はこの孤独、この静寂をたのしんでいるかのようだった。

（『金閣寺』）

金閣にがっつり心のなかで語りかける主人公。

そして「もっと本当の美しさを見せてくれ！」と迫る無茶ぶり。

私はこの一連の台詞、まあまあ想像上の金閣に対する妄想っぷり、狂気っぷりが見えて読むたびのけぞってしまう、というか引いてしまうのだけど。

しかし、彼の金閣に対する狂気が見えるシーンはまだまだある。友人・柏木に紹介された女性とベッドインするぞという場面である。

なかなか女性関係がうまくいかなかった主人公にとっては、いよいよ、というところ。

まだ私は嘘をつこうとしている。そうだ。眩暈に見舞われたことはたしかだった。だが私の目はあまりにも詳さに見、乳房が女の乳房であることを通りすぎて、次第に無意味な断片に変貌するまでの、逐一を見てしまった。

……ふしぎはそれからである。何故ならこうしたいたましい経過の果てに、ようやくそれが私の目に美しく見えだしたのである。美の不毛の不感の性質がそれに賦与されて、乳房は私の目の前にありながら、徐々にそれ自体の原理の裡にとじこもった。薔薇が薔薇の原理にとじこもるように。

私には美が遅く来る。人よりも遅く、人が美と官能とを同時に見出すところよりも、はるかに後から来る。みるみる乳房は全体との聯関を取戻し、……肉を乗り超え、……不感のしかし不朽の物質になり、永遠につながるものになった。

私の言おうとしていることを察してもらいたい。又そこに金閣が出現した。というよりは、乳房が金閣に変貌したのである。

（同書）

なんとびっくり、女性とのベッドシーンにおいても、「金閣」が登場！

まじかよ金閣。「察してもらいたい」って言われてもさすがに察せられないよ。私はこの場面を読んだときまああびっくりしたのだけど、おそらく主人公のお相手の女性はもっとびっくりしただろう。金閣のイメージがそこに出現してしまった主人公は、それ以上痺(しび)れて動けなくなる。そして「乳房を懐(ふところ)へ蔵(しま)う女の、冷め果てた蔑(さげす)みの眼差」しを、彼は向けられることになるのだ……。

しかし彼は恍惚(こうこつ)とした表情で寺に帰る。「心には乳房と金閣とが、かわるがわる去来した。無力な幸福感が私を充(み)たした」と述べている。本当に、「彼にとって金閣って、何……!?」と読者は言いたくなる。

この後彼も我にかえり、「金閣はどうして私を護(まも)ろうとする？　頼みもしないのに、どうして私を人生から隔てようとする？」と金閣に憎しみを抱いて怒るのだが。それにしたって、ベッドで勝手に金閣のイメージを召還したのは彼自身だ。読者としては困惑するほかない。

彼はこの後、「金閣が自分にとっての美を占領している」ことを確信するようになる。結局、うつくしいものはすべて金閣に収れんされるから、それ以外のものは、自分にとってかたちをなさないのだ……と。

さて、私たちはこの小説をどう読んだらいいだろう？

ぶっちゃけ、主人公の金閣寺ラブに対して「えええ」と困惑しながら読み進めてもべつにいいと思う。き、金閣寺にとりあえず惚(ほ)れこんだ人がいたのか……、とびっくりするのもアリだろう。

でも、そこから一歩進んでみると。彼にとっての「金閣」のような存在が、私たちにも、あるいは三島由紀夫にも、存在しているんじゃないか？

つまり、彼の「金閣」は、いったい何のメタファーだろう？　と考えてみたらいいんじゃないだろうか。

ここで重要なのは、安易に「金閣は、うーん、『美』のメタファー！」だなんて受験国語みたいな答えを出さないこと。

美のメタファー、って分かるようで分からない言い方だと思いませんか。ちょっと抽象的すぎる。合ってるかもしれないけれど、ここで「ふむ、彼がそんなに執着している金閣は、結局彼にとっての『美』だからなのか」なんて考えても、たいして『金閣寺』って小説は面白くならんでしょ。彼が金閣を美しいと思ってることなんて、最初から分かりきっている。

そうじゃなくて、もっと「自分にとって金閣みたいに思う存在っているかしら……？」と考えてみるといいと思う。

ここから先は私の解釈だけど。金閣は、現代でいうところの、彼にとっての「アイドル」だったのではないか……と思う。

今っぽい言い方でいうと、「推しメン」。あるいは、もう少し普遍化すると「信仰相手」。「尊い」ってやつですね。

考えるに、主人公・溝口（あるいは三島由紀夫）は、今生きてたら、AKB48あるいはジャニーズのアイドルのコンサートでサイリウムを振って、もったいぶった批評文をブログに書き連ねていたタイプだと思う。

このアホっぽい仮説を立証するために、小説『金閣寺』における「金閣」を、仮にAKB48や乃木坂46みたいな「女子アイドル」に置き換えて考えてみよう。

小さいころから、それはそれは美しい存在だと親（アイドルオタク）から聞かされてきた。世界でいちばんうつくしいのだ、と。しかし実際にアイドルを間近で見てみると、そこまで美しいわけじゃないじゃん……と一瞬幻滅する。だけど握手会から帰った後、「いやでも待てよ、あのアイドルもいつかは卒業しちゃうんだよな」と考えると、いやにアイドルが美しい存在に思えてくる。

彼はアイドルのポスターを見るたび、心の中で「近くに来たよ！　本当はもっと美しいんでしょ？　本当の姿を僕に見せてよ！」と呟く。

ある日、現実世界で友達から紹介された女の子を紹介されたときも、妙にアイドルのことが頭に浮かんでしまって、なんとなく行為に集中できない。そうしているうちに女の子からは呆れられる。若干の高揚感を抱いて帰るも、その後にアイドルに対してむやみやたらな憎しみを抱く。

学校も行かなくなり、将来の展望も絶たれ、家出したとき、海を見に行く。そして、ふっと「あのアイドルを殺したらいいんじゃないか」と思うに至る……。

えっ、ちょっと本当に、「金閣＝アイドル」じゃないか⁉

自分の手で焼いてこそアイドル（金閣）の美しさが完成される、と考える最後の展開すら、「うわあ、思い込みの激しいアイドルオタクが考えそう……」という感想が浮かんで、納得できてしまう。

（※念のため、アイドルオタクがみんなアイドルを殺したいと思ってる～なんて話じゃありません。当たり前ですが、金閣寺のファンがみんな金閣寺を燃やしたいと思ってるわけじゃないのと同じです。ちょっと人生がうまくいかなくなった熱狂的な信仰者って、こういう思考回路たどりそうじゃないですか、って話ですよ）

やっぱり、「金閣」は、彼にとってアイドルであり、それはつまり、すべての美しいものの象徴だったんだろう。

アイドルという言葉の元ネタは〝ｉｄｏｌ〟つまりは偶像という意味だけど、だからこそ彼にとっての金閣は、幻想のなかにあった。――アイドルファンの気持ちを考えると、納得がいく。

うーん、三島由紀夫は元祖・内向的アイドルオタクの小説を芸術的に描いていたのか。と言うと、なんだか各所から怒られそうな気もするけれど。でも、こう考えると、小説がぐっと面白く読めると思いませんか？　小説のタイトルの意味を、本当の意味で理解できると、小説がすごく身近になってくる。

だけどアイドル的存在を「金閣寺」という日本人の誰もが知る建物でメタファーとして、さらにそれを燃やす、というイメージを起点にアイドルオタク小説を熱情的に書くなんて、やっぱり三島由紀夫という芸術家の才能のなせるわざだなあ、と思う。

何を書いたか、よりも、どう書いたか、が芸術においては大切で。そういう意味で、「書きようによっては全然面白く読めないこともあっただろう金閣寺オタクの物語を、ここまで美しく、面白く書けたミシマってすごいわ……」という結論に至る。やっぱり『金閣寺』は傑作なんだよお。

小説を読むときは、ただストーリーを追いかけるんじゃなくて、「この重要そうなモチーフって、結局、何？」という問いを考えてみると面白くなる。タイトルがそのモチーフを反映してるなら、なおさら考えてみると面白い。

それがメタファーを考えるってことでもあるから。

あの小説を誰よりも楽しく読む方法

『金閣寺』

読んだふりにしないコツ

1 タイトルに重要そうなモチーフが入ってるぞ！ と気づく

2 そのモチーフ、自分の身近なモノに置き換えられないか？ を考える

3 置き換えてあらすじを考え直してみる

令和のベストセラーは、SF初心者こそ読みやすい小説だった！

読む技術：型を知らないからこそ、面白く読める小説がある

読む小説：『三体』

『三体』
劉慈欣著、大森望訳、早川書房、２０１９年

葉文潔は、文化大革命によって父親が殺されるところを目のあたりにした。そして物理学者になった彼女は「異星人を探すため」という目的でつくられた秘密基地のプロジェクトに参加する。そこには彼女なりのもくろみがあったのだ。そして彼女は、三体星人という異星人とのコミュニケーションをとることに成功する。

『三体』

今回は、本書を執筆している2020年初夏現在、最もホットなベストセラーSF小説『三体』の1巻を読む。

いやはや、こないだ『三体Ⅱ』が発売されたところなのだが、神保町の三省堂書店で『三体Ⅱ』が平積みになっている様子、壮観でした。こんなにベストセラーと化したSF小説、久しぶりではないか。

しかしね。理系音痴でSF音痴の作者から言わせてもらうとね。『三体』、ぶっちゃけところどころ難しいんだよね。

ついでに白状すると、私はほとんどSF小説が読めない人間である。こうやって小説の解説本なんて書かせてもらってるくせに有名なSF『エンダーのゲーム』も『たったひとつの冴えたやりかた』も読んだことない。ごめん。単純に、SF小説によく出てくるロボットにも宇宙にも未来にも、萌えがない……。

ぶっちゃけ、みんな読んでて難しくないの⁉　と私は『三体』1巻を読んだときに叫びそうになった。物語としてはすごく面白いけど、三体問題の解説とか、分からんよ！

しかし。もし私と同じような感想を『三体』に抱いた方がいたら、安心してほしい。理系の難しい話が分からなくても、『三体』、面白く読めるから！

いや、むしろSF小説初心者こそ『三体』を読むべきなのだ！

『三体』、この機会にぜひあなたも読んでみて、来るべきシリーズ3巻の和訳刊行を楽しみに待つ仲間に入ろうじゃないですか。オバマ前大統領も『三体』シリーズのファンらしいし。

さて、じゃあなぜ『三体』はSF初心者こそ読むべき小説なのか？

『三体』は、ハリー・ポッター戦法を使った傑作だからだ。

……ハリー・ポッター戦法とはなにか。私が勝手に名付けた戦法なのだけど、これは、「既存の物語の『型』をとても上手に組み合わせて、いままで名作を読んだことのなかった読者にガーン！と衝撃を与える」戦法のことである。

というのも、純愛モノでもファンタジーでも冒険物語でもなんでも、古典的な物語には、「型」がたくさんある。

たとえば「身分違いの恋愛」といえば「悲恋」を連想する。あるいは「竜を倒す」話だったら、きっと最後には「ちゃんと故郷に帰ってくる」のがハッピーエンド、と冒険物語を好きな人はなんとなく知っている。

物語というと誰もが「剣を使う」様子を想像するだろう。「故郷を出て旅をする」話

古典的な物語には、型がある。

こういう展開にすれば面白い物語になる。と、ジャンル内でなんとなく共有されている物語の構造。


しかし。意外と、古典的な物語は忘れ去られる。身分違いの恋が悲恋で終わることに、なぜか私たちは新鮮に驚いてしまう。古典的な物語をあまり摂取していない人が読んだら、さらに新鮮に驚くことだろう。

『ハリー・ポッター』シリーズは、私たちのこの習性をものすごくうまく利用している。

まず、既存のファンタジー小説の物語の型を、上手に組み合わせる。たとえば血のつながっていない親に育てられて苦労（貴種流離譚という型の変形です）し、成長したところで「本当の世界」に呼び戻される、とか。父親母親の仇がラスボス、とか（よく見る話ですがなぜか面白いよね）。エピソードだけ見れば既存の型を使っている。そして、そのうえで物語の世界観をしっかり作り込んでいるのだ（9と3/4番線、グリフィンドール寮、ホグワーツの授業、あの描写の細かさにときめかなかった子どもなんておらんやろ！）。『ハリー・ポッター』シリーズは、物語の型を組み合わせて、細かく練られた世界観にはめこむことで、これまで本をあまり読んでこなかった人に新鮮な驚きを与えることに成功した。つまり、本を読んでなかった子どもたちを読者として取り入れることができた。よくある手法だが、『ハリー・ポッター』シリーズは、最近だとこの手法の成功例の最たるものじゃないだろうか。そんなわけで私はこの手法をこっそり「ハリー・ポッター戦法」と呼んでいる。

誤解しないでほしいのだけど、ある小説が既存の型を使用することは、その作品のオリジナル性を損なうものではない。そもそもどんな物語だって、その物語が生まれる源流にはほかの物語が存在していたりする。完璧なオリジナルなんてなく、オマージュがたくさん積み重なって、新しい物語は生まれてゆく。

ただ、既存の物語の型に対して、意識的かどうかは物語によって異なる。『ハリー・ポッター』シリーズは、物語の型に対してかなり自覚的に構成された小説だと思う。だからこそあんなに世界観が細かくても、展開に分かりづらいところがない（だからみんな理解しやすくて、入り込みやすい）。

ちなみに、『スター・ウォーズ』シリーズも『恋空』もこの戦法がうまいことハマった作品だと私は睨（にら）んでいる（どちらも冒険モノや恋愛小説の型をうまく組み合わせたことで、たくさんの人に届いた作品だ）。『週刊少年ジャンプ』なんて、しばしばこの手法を意識的に取り入れてる気がする。

前置きが長くなった。そして『三体』シリーズもまた、ＳＦにおけるハリー・ポッターシリーズのごとく、型をうまく利用した物語だ。

長いし難しそうだし、とおそるるなかれ。

『三体』は、私たちのような、ＳＦ小説に慣れていない、ＳＦの「型」をいまいち知らない読者にこそ、新鮮に面白く読める小説なんだよ！

ここで『三体』のあらすじ紹介。『三体』はパートによって時間軸が異なり、それぞれ主人公も異なる。

まずは最初のパート、文化大革命の時代。

主人公は、中国の理論物理学研究者・葉文潔。

過去、文化大革命の内ゲバのせいで尊敬する父親が殺されたり、友人が自殺したり母親が心神喪失したりするのを目の当たりにした彼女は、人間不信となり、人類滅亡を願うようになっていた。

天才理論物理学者に成長した彼女は、ある日、軍の秘密基地に招待された。

その秘密基地では、「宇宙人と電波で交信する」プロジェクトを進めているという。

彼女は俗世を捨てるつもりで、そのプロジェクトに研究者として参加した。

時は経って、プロジェクトは失敗したように見えた。しかし実は、彼女は宇宙人との交信に成功していた。

なんと彼女は、その宇宙人に地球侵略してもらうことで、人類滅亡を企むようになっていたのだ。

その宇宙人とは、地球と最も近い恒星系に生きる「三体星人」のことだった。


2つ目のパートの舞台は、現代（70年代の文化大革命から40年経っている）。

主人公はナノマテリアル開発の研究者・汪淼。彼はとある会議で、「世界的に有名な科学者たちが、続けて自殺している」という事実を聞かされる。不自然な連続自殺の裏には、どうやら「科学フロンティア」という団体の存在があるらしい。彼は科学フロンティアに近づいて、自殺の原因を調べてくれ、という依頼を受ける。

彼は怪現象に巻き込まれつつも、史強というマッチョな警察官とタッグを組みつつ、調査を進める。するとどうやら事件のカギとなるVRゲーム「三体」と出会う。彼はゲームをプレイすることになる。


3つ目のパートは、「三体」ゲームの中の世界（このへん、ちょっと時系列があっちこっちするんだけど）。

ゲーム「三体」は、太陽が3つある異星を舞台とする。そこは過酷な環境ゆえになかなか文明が存続しづらい。

——だったら、他の星を侵略し、移住するのがいちばん早い。たとえば地球とか。

実は、ゲーム「三体」は、実際の三体星人の惑星を模してつくられていた。40年前に葉文潔がはじめて交信した、あの三体星人である。

ゲームを作ったのは、三体星人の地球侵略計画に協力する組織の人間だった。実際に、三体星人は、宇宙艦隊で４５０年後に地球へ侵略しにやってくる、というのだ。

３つのパートを行き来しつつ、三体問題とか三体星人とか若干ややこしい話も入るから複雑そうに見えるんですが。しかし、ねえ、このあらすじだけを読むと、ＳＦに詳しくない我々（って勝手にあなたを「ＳＦに詳しくない我々」側に押し込めちゃうけど）から見ても、「めっちゃ古典的なＳＦでは……!?」と思いませんか。

宇宙人との交信！　宇宙艦隊！　軍の秘密基地！　科学者の連続殺人事件！　……実際、『三体』のあとがきでは、「この圧倒的なスケール感と有無を言わさぬリーダビリティは、ひさしく忘れていたＳＦの原初的な興奮をたっぷり味わわせてくれる」（『三体』）と翻訳者の大森望さんが書いている。「ＳＦの原初的な興奮」って、言葉はポジティブだがぶっちゃけ「めっちゃ古典的なSF小説だ」って言ってるも同然。いや批判ではなく、これがたぶん古典的なSF小説だからこそ、ここまでスケールの大きい、さらに読者層も広げられる作品になったのだろう。

宇宙人との邂逅（かいこう）は、いつだってSFの古典的テーマだ。そして出会った宇宙人が、地球を侵略してくるのではないか、と地球の研究者が戦うところも。我々読者は、そんなありふれたテーマを、あらためて新鮮に読んでもいいんじゃないだろうか。

さらに『ハリー・ポッター』シリーズが魔法の世界を細かく描いたように、『三体』もまた、世界観が新鮮だからこそ面白い。

やっぱり文化大革命の凄惨（せいさん）な話が詳細に綴（つづ）られ、そこから物語の発端が生まれるなんて（あまつさえ文化大革命から「人類は滅亡すべき」と思って宇宙人と手を組むなんて！）。面白すぎる。SFといえばこれまで「未来の話」だったし、なかなか歴史と接続する機会が少なかったと思うのだけど、そこを文化大革命というファクターを入れたのは、中国の歴史は知ってるSF初心者にとってありがたいことだ。

あるいは、「三体」のオンラインVRゲームの中に主人公が入り込むのも、今っぽくて面白い。むしろVRゲームの描写が面白いんだよなあ、この小説。ハリーがホグワーツに入ったときみたいなわくわく感がある。ってなんでもハリー・ポッターに例えてごめん。

古典的な物語の型に、詳細で新鮮な世界観。これぞ、そのジャンルに詳しくない新規読者を獲得できるベストセラーの秘訣。だからこそ『三体』は、たくさんの人に届く。そして、私たちSF初心者にこそ、届く。

ね？　難しくなさそうでしょ、『三体』。ちなみに今回紹介したのは『三体Ⅰ』だったけど、『三体Ⅱ』も心理戦ががんがんあって大変面白かったです。私と一緒に3巻を楽しみに待とうよ。ぜひ読んでください。

読んだふりにしないコツ

1 登場人物や細かい舞台設定を楽しむ

2 難しい話はとばし読みでいいと思う

3 型を知らないからこそ、面白く読める！

恋する女の子が書店に火をつけるのは、これがフランス文学だから。

読む技術：細部のこまかさを楽しむ

読む小説：『うたかたの日々』

『うたかたの日々』
ボリス・ヴィアン著、伊東守男訳、早川書房、2002年

パリに暮らす青年コラン。パーティーで彼はクロエという女の子と出会う。ふたりは恋に落ち、結婚する。しかしクロエは、肺のなかに睡蓮のつぼみができる病気にかかってしまう。その病気ゆえに、クロエのまわりには、常に花を絶やさないようにしなくてはいけない。そしてコランの貯金はなくなり、クロエの病状も悪化する。

「なんかよく分からんけど、文学的やなー」と、言うときがある。誰かがふっと呟いた発言、有名人がSNSではなったひとこと、日々出会うシーンに対して。

「文学的」の「文学」なんだ？　どういうものを指してるんだ？　って聞かれたらこまってしまう。でもなんとなく、文学的、ということばが指すものを、私たちは共有している。なんとなく。

じゃあ、本当に「文学的」って何なんだろう？

真剣に考えてみると、私は、「細部までこまかく描写すること」だと思っている。

よくある話でも、細部を語れば文学的になる。

……これ、意外と使えるテクニックなので、読書感想文なんかに困る学生さんたちに教えたげたいんだけど。文学を読むテクニックにも通じるテクニックなのだ。

たとえば、

ある日の夕方、私は彼女に電話をした。

という一文。

これを、

二月二十一日。とくべつ夕焼けがきれいというわけでもなく、なんだか曇り空が広がっている夕方。私は、彼女に電話をした。

……なんだかちょっと、文学的になっていないだろうか？

あるいは、こんなふうにもっと細かく書くと。

二月二十一日。夕方。私は買ったばかりのｉＰｈｏｎｅＸを、通勤用の鞄から取り出した。彼女に電話をするためだ。普段はＬＩＮＥばかりしているから、電話なんてする機会ないんだけど。この時ばかりは、とくべつだったのだ。

なんだか、もうちょっと文学度（なんじゃそりゃ）が上がっていると思いませんか。

もちろんすべての描写を細かくすればいいってもんでもないけれど、私たちは、ふつうなら切り捨ててしまうような細部を執拗に書くことに対して「文学」を感じる生き物らしい。

ここで、これ以上ないくらい文学的な小説こと『うたかたの日々』の書き出しを読んでみてほしい。フランスの名作文学作品だ（『うたかたの日々』は、まえがきがあって、そのあとに本編、という構成になっているのだけど、本編の書きだしがこちら）。

> コランは身だしなみをととのえ終えるところだった。風呂から出ると、ふんわりしたタオル地に身を包み、足と胴体だけがはみ出していた。ガラスの棚から噴霧器を取ると、明るい髪の毛の上にかぐわしい油性の液体を振りまいた。そのアンバーの櫛（くし）は、陽気な農民がフォークを使ってアプリコットのジャムに作る溝のように、オレンジ色の長い網の目状に絹のような髪を分けていった。コランは櫛を置くと、爪切りをとって、艶（つや）のない瞼（まぶた）のはしを斜めに切って、目つきに神秘的な輝きを与えた。彼はしばしばくり返さなくてはならなかった。なぜって睫毛（まつげ）はすぐ生えてきてしまうからだ。
>
> （『うたかたの日々』）

主人公のコランが風呂から出たあとを描写しているのだけど……もう、描写が、細かい。さらに細かい描写に「あれっ？」と二度見してしまうような変な描写をひそませている。たとえば、爪切りを取り出すところまではいいけど。その爪切りでなにをしているのかといえば……まぶたを切っている。もう、私はこれ以上文学的な香りのする書き出しを知らないよ！

しかし、たとえば『うたかたの日々』の書き出しが、「コランは身だしなみをととのえ終えるところだった。風呂から出ると、爪切りをとって、瞼のはしを斜めに切った」だけだったとしたら？　分かりやすいけど、文学的な面白さはない。やっぱり、執拗に執拗に細かくコランの身だしなみの描写を綴り、そのなかにまぶたを切る場面を挿入するから、文学っぽくて面白いんだと思う。

細かく細かく、描写する。まわりくどく、コランの身だしなみを綴る。それがあってはじめて私たち読者は、文学の香りを知る。その細かさが、どんどんくせになってくる。

文学的な書き方が「細かさ」にあるとすれば、文学的読み方とは「細かさを楽しむこと」ではないだろうか。

文学的な面白さは、分かりやすく書かないところにある。分かりやすいものって、いまいち文学的じゃない。だからこそ読む側も、ある種のちょっとした分かりづらさを解読するところに、快楽を感じる。あんまりすぐ分かるものって、香りがないじゃない。

びゅんびゅん飛ばしていくジェットコースターよりは、ゆっくり進みながら景色を楽しむ観覧車のほうが文学的、みたいなもんだろうか。

そんなわけで最高潮に文学的な作品『うたかたの日々』の好きな場面をもう少し紹介したい。

コランたちのカップルのほかに、『うたかたの日々』には、シックとアリーズというカップルが登場する。最近、シックはパルトルという作家に心酔している。パルトルはやたら高い著作集を出す、というニュースが舞い込んでくる。彼女アリーズはそれを知って、パルトルの著作がこれ以上出たら、シックが破産してしまう！　と考えるようになる（シック、ぜんぜんお金を稼ごうとしないのだ……）。しかしパルトルの出版をやめてくださいとお願いしても、聞いてもらえない。当たり前だ。

シックにこれ以上お金を浪費してほしくない。パルトルの著作なんてなんで出るの。

――切羽詰まった彼女はどうするか。

本屋へ向かうのだ。

彼女は彼に近づくと、ハンカチを落した。本屋は音をたてながらこごみ込んで、それを拾おうとした。彼女はすばやく本屋の背中に心臓抜きを突き立てた。彼女は泣きながらまたも震えていた。本屋は顔を床につけて崩れ込んだ。彼女はハンカチを拾う元気がなかった。彼がその上に指を拡げたまま死んでしまっていたからだ。心臓抜きは二つの股を拡げたまま彼からはずれた。本屋の心臓を握っているのだ。ごく小さく明るい真赤な色をしていた。二つの股をさらに開くと、本屋の心臓は彼女のそばに転げ込んだ。急がなくてはまずいのだ。新聞紙を一束つかんでマッチを擦(す)った。松明(たいまつ)代りにして、カウンターの下に投げ込んだ。それから更に新聞を上に投げかけ、炎の中に、最寄りの棚から取ったニコラ・カラスの本を十二冊ほど投げ込んだ。

（同書）

彼女は、彼氏の心酔する作家パルトルの著作を売る本屋に、火をつけてしまう！　まじかよアリーズ。過激な行動にさすがの読者も驚く。

しかも火をつける方法が、ただマッチを擦るだけではない。「心臓抜き」なんて謎の道具を出してくる。いかにもやばそうというか、アリーズの狂気が分かる道具だ。やっぱり、本屋に火をはなつくらいじゃぬるい。心臓をちゃんと討たなくてはいけない！

私はこの、アリーズが火をつける場面がみょうに好きだ。アリーズとシックは、恋人としては、「好き同士なんだけど、あまりに彼氏がお金を稼いでこないのに、作家に執心してばかりで、彼女はどうかと思っている」という、ありがちな恋愛の終わりにたどりついているように見える。恋人として好きは好きだけど、金銭面がちょっと……という話、２０２０年になっても頻繁に聞く。彼氏が変な趣味にお金をかけすぎて、彼女が不満、って。

だけど、ありがちな恋の少し終わりかけている局面を、「本屋に火をかける」なんてうつくしい場面にしている！　こんなことができるの、『うたかたの日々』だけだと思う。ありがちな恋愛のいざこざに、文学的な香りをさせることは可能なのだ。

彼氏の心酔する作家なんて、彼女が火をつけるしかない。そしてその心臓を討ち取るしかない。……アリーズの狂気は、どうにも美しく見えてしまう。そしてその狂気を細かく描写する文章は、やっぱり文学的だなあ、とほれぼれする。

文章の細かさを味わう。そしてそこに滲(にじ)みでた、作者の世界観のぶっとび具合と、狂った美意識を、思いっきり味わってみる。

こんな塩味強くするんか！　とか、砂糖ふりかけすぎやろ！　とか。

ボリス・ヴィアンの小説を読んでいると、同じような恋愛の話なんていくらでも聞いているはずなのに、どうしてこんなにうつくしい場面に、文章にすることができるんだろう、と泣けてくることがある。文学として、いい香りがしすぎて、くらくらする。

——どういう生き方をすれば、心臓抜きなんて道具を使って本屋を襲おうとすることができるんだろう。『うたかたの日々』を読むたび、文学の香りを私はかぐ。

読んだふりにしないコツ

1 やたら描写の細かい文章があれば、そこに注目

2 「なんでこんなにここ細かく描写してるんだ！」とその細かさを味わってみる

人間の極限状態？
ううんもっと人間の本性は、
浅はかなところで見えてくる。

読む技術：文章を楽しむ

読む小説：『羅生門』

『羅生門』
芥川龍之介著

今昔物語集をもとに書かれた短編小説。都は、飢饉や天災の影響で、すっかり荒廃してしまっていた。とくに荒れた羅生門の下で、若い男が、仕事を辞めさせられて途方に暮れている。盗みをはたらくしかないのだろうか、と彼は悩む。そこにやってきた老婆は、若い女性の遺体から、髪を抜きはじめた。

読むたびに、「ぶ、文章がうまい……」と呟いてしまう作家。それが私にとっての芥川龍之介だ。

いや、芥川龍之介の文章がうまいだなんて、いまさら言わなくても日本全国のひとびとが知ってそうな話なんだけどさ。それにしたって、芥川龍之介の文章はうまいのよ。

漫画を読んで、絵にほれぼれすることがあるように。映画をみて、画面のうつくしさにほれぼれすることがあるように。小説を読んで、文章にほれぼれしてしまうことがある。

なんでこんなに文章がうまいのか、芥川龍之介。

文章を楽しむ。前章で述べたように、これもまたひとつの小説の読み方のひとつである。

しかし文章を読むっつったって、いったいどこをどう読めば、文章を楽しむことができるんだ……と思われているかもしれない。ただそこに文章があるだけだろう、と。

というわけで今回は、実際に芥川龍之介の『羅生門』を読んで「文章を楽しむ」ことをやってみたい。羅生門、よく国語の教科書に載っているアレだよ。「人間のエゴイズムを描いた作品」なんて先生が教えてくれる作品である。

教科書で読んで覚えている方もいるかもしれないけれど、羅生門の書き出しはこれ。

> ある日の暮方の事である。一人の下人が、羅生門の下で雨やみを待っていた。
>
> (『羅生門』)

『羅生門』という作品は、羅生門の下で雨やみを待つ下人の描写から始まる。しかしその後、芥川は下人のことをすぐに描写しない。羅生門のあたりがどれだけ荒廃していたか、京都が災害や火事のせいで洛中がさびれ、そのせいで羅生門に盗人や死人が集まってきていたことを綴っている。

その後、やっと下人が登場する。

> その代りまた鴉がどこからか、たくさん集って来た。昼間見ると、その鴉が何

羽となく輪を描いて、高い鴟尾（しび）のまわりを啼（な）きながら、飛びまわっている。ことに門の上の空が、夕焼けであかくなる時には、それが胡麻（ごま）をまいたようにはっきり見えた。鴉は、勿論（もちろん）、門の上にある死人の肉を、啄（ついば）みに来るのである。――もっとも今日は、刻限が遅いせいか、一羽も見えない。ただ、所々、崩れかかった、そうしてその崩れ目に長い草のはえた石段の上に、鴉の糞（ふん）が、点々と白くこびりついているのが見える。下人は七段ある石段の一番上の段に、洗いざらした紺の襖（あお）の尻を据えて、右の頬（ほお）に出来た、大きな面皰（にきび）を気にしながら、ぼんやり、雨のふるのを眺めていた。

作者はさっき、「下人が雨やみを待っていた」と書いた。しかし、下人は雨がやんでも、格別どうしようと云う当てはない。ふだんなら、勿論、主人の家へ帰る可（べ）き筈（はず）である。所がその主人からは、四五日前に暇を出された。前にも書いたように、当時京都の町は一通りならず衰微していた。今この下人が、永年、使われていた主人から、暇を出されたのも、実はこの衰微の小さな余波にほかならない。だから「下人が雨やみを待っていた」と云うよりも「雨にふりこめられた下人が、行き所がなくて、途方にくれていた」と云う方が、適当である。その上、今日の空模様も少からず、この平安朝の下人の Sentimentalisme に影響した。

（同書）

この『羅生門』という作品。今昔物語の『羅城門』という古典作品が元ネタなのはよく知られるところなのだけど、実は、京都が荒廃していて羅生門が荒れ果てていた……なんて描写は今昔物語にはない。芥川オリジナル。

下人が雨やみを待っていた、と最初に言っておいて、私たち読者はふんふんと読み進めるんだけど。その後、『作者はさっき、「下人が雨やみを待っていた」と書いた。しかし、下人は雨がやんでも、格別どうしようと云う当てはない。』というふうに続ける。

……これ、実はさらっとやっているように見せかけてけっこう高等テクニックだと思う。私が小説書きたいと思っている中学生だったら絶対まねしちゃうくらい（?）、さらりとかっこいいテクニックだ。

どういうことかといえば、小説の冒頭においては読者が違和感なく入れるように道を整備しておく。歩きやすい道にしておく。つまり、読者がさらっと流して読みやすいように「下人が羅生門の下で雨やみを待っていた」と書く。

しかしひととおり文章が進んだ後、作者は「下人が雨やみを待っていたと書いたけど下人は雨がやんでも動かないよ〜」と続ける。読者は「えっ、どういうこと？」と目をとめる。下人について「えっ、さっき読んだ文章は何だったの？」と違和感をもって、ややブレーキを踏む。

そして話は下人の経歴、どのようにして下人が羅生門へたどりついたか、を説明する。こうして主人公である下人の話に焦点があたってゆく。

この、景色の説明から、下人の説明に転換する、うつくしい文章！「作者は〜と書いたが、」と一瞬違和感のある文章を入れることで、読者の目線を止めさせて、そして別の話題にうつるテクニック！ 文章がうまい。いや、絶対私が中学生だったらまねしている……。

こんなふうに、どうしてその文章を作者はここに入れたのか？ 一文字一文字、そこにある意味は何なのか？ を味わう価値があるのが、文学作品（とくに日本語の作品）のいいところだ。

芥川龍之介の書く文章には、ぜったいに無駄はないし、配置にも意味がある。

なぜその説明の順番にしたのか？　なぜそこはひらがななのか？　どうしてそこに接続詞を入れたのか？　——ぜんぶ意味がある。

接続詞ひとつとっても、とくに芥川龍之介なんかは、むやみやたらに使うことはない。ここぞ、という場所にしか使わない。「しかし」なんて、めったに使わない。だからこそ使ったときには、目を配ると、そこに作者の手さばきが見える。——おいしい料理をゆっくり味わって食べていると、どういう隠し味がきいているのか分かる、みたいな話だろうか。

「成程な、死人の髪の毛を抜くと云う事は、何ぼう悪い事かも知れぬ。じゃが、ここにいる死人どもは、皆、そのくらいな事を、されてもいい人間ばかりだぞよ。現在、わしが今、髪を抜いた女などはな、蛇を四寸ばかりずつに切って干したのを、干魚だと云うて、太刀帯の陣へ売りに往んだわ。疫病にかかって死なんだら、今でも売りに往んでいた事であろ。それもよ、この女の売る干魚は、味がよいと云うて、太刀帯どもが、欠かさず菜料に買っていたそうな。わしは、この女のした事が悪いとは思うていぬ。せねば、饑死をするのじゃて、仕方がなくした事であろ。されば、今また、わしのしていた事も悪い事とは思わぬぞよ。これとてもやはりせねば、饑死をするじゃて、仕方がなくする事じゃわいの。じゃて、その仕方がない事を、よく知っていたこの女は、大方わしのする事も大目に見てくれるであろ。」

老婆は、大体こんな意味の事を云った。

下人は、太刀を鞘（さや）におさめて、その太刀の柄（つか）を左の手でおさえながら、冷然として、この話を聞いていた。勿論、右の手では、赤く頬に膿（うみ）を持った大きな面皰を気にしながら、聞いているのである。しかし、これを聞いている中（うち）に、下人の心には、ある勇気が生まれて来た。それは、さっき門の下で、この男には欠けていた勇気である。そうして、またさっきこの門の上へ上って、この老婆を捕えた時の勇気とは、全然、反対な方向に動こうとする勇気である。下人は、饑死をするか盗人（ぬすびと）になるかに、迷わなかったばかりではない。その時のこの男の心もちから云えば、饑死などと云う事は、ほとんど、考える事さえ出来ないほど、意識の外に追い出されていた。

「きっと、そうか。」

老婆の話が完ると、下人は嘲るような声で念を押した。そうして、一足前へ出ると、不意に右の手を面皰から離して、老婆の襟上をつかみながら、噛みつくようにこう云った。

「では、己が引剥をしようと恨むまいな。己もそうしなければ、饑死をする体なのだ。」

（同書）

この文章、老婆が死人の髪を抜いていた事情を聞く場面から、一転して下人が老婆の着物を剥ぐ、その転換部分を綴った箇所だ。

しかし老婆の台詞。ちょっと長いなあ、と思わないだろうか。老婆は、髪を抜く死人のことを「悪いことをされても文句を言えないくらいの人間だし、生きるためには仕方ない」と述べる。

面白いのが単に老婆はこう言った、なんて書かずに、「老婆は、大体こんな意味の事を云った」と書いてあるところ。「大体」。つまり、老婆の言ってることを下人はざっくりとしか聞いていないんじゃないだろうか。普通は「老婆はだいたいこんなこと言ってたんだよね」じゃなくて「老婆は〜と言った」って書くはずでしょう！　だけど下人は、だいたい、しか聞いてないのだ。

なんで下人が老婆の言ったことをざっくりとしか聞いていないか？　それは、下人が老婆の話を聞きながら、別のことを考えていたからだろう。

別のことはなにか。それは、――引剥ぎをする決意だと考えられる。

老婆の長い話を聞いているうちに、じんわりとそれまで考えていなかった、自分も引剥ぎする側になることを下人は決意する。頭のどこかで。

しかも、芥川は「**下人は、饑死をするか盗人になるかに、迷わなかったばかりではない。その時のこの男の心もちから云えば、饑死などと云う事は、ほとんど、考える事さえ出来ないほど、意識の外に追い出されていた**」と書いてある。つまり、下人は、このままじゃ餓死してしまうからしかたなく老婆の着物を剥いだ、というわけではないのだ。ここが芥川の文章の面白いところだなあ、と思う。

ただただ、下人もまた、盗人――わるい人間になる側へ、跳ぶことを決意した。自分がぎりぎり善き人間であると思える側から、わるい存在になる側へ。その境界線を飛び越えたのである。老婆を見ているうちに。

この、「それまで善き人間であろうとすることを捨てられなかった人間が、目の前の相手のことを見下した瞬間、善悪のハードルを（わるい方向へ）飛び越えてしまう」様子をえがいた作品で、こんなにうまい文章はこれ以上ない、と私は思っている。

下人はただ餓死寸前だったから着物を剥いだわけじゃない。もちろん背景にはその事情もあったけれど、それでも、餓死寸前というだけでは彼は引剥ぎすることを躊躇していた。そうではなく、老婆を見ていて、彼女の着物を剥ぐことに何の躊躇がいるだろうか、と思ったのだ。だからわるい人間になることにためらいがなくなったのだ。

よい文学作品の文章を丁寧に読んでいくと、本当に、書かれてある言葉にはぜんぶ意味があるのだ、と分かる。

最初に言ったように、国語の教科書ではこの作品を「人間の極限状態におけるエゴイズムを描いた」なんて説明するけども。本当によく文章を読めば、下人は、ただただ極限状況（餓死してしまう状況）だったから善悪の判断をなくしたわけではない。だけど、極限状況のなかでも、最初はためらいをもって、善の側にいようとしていた。だけど、老婆のことを人として見下した瞬間に、どうしたっていい、と思ったのだ。

じゃないと「饑死などと云う事は、ほとんど、考える事さえ出来ないほど、意識の外に追い出されていた」なんて一文を入れるわけがない。餓死は、引剥ぎの直接的なきっかけじゃないのだ。

文章のすべてに意味がある。そう思って、ゆっくりゆっくり文章をかみ砕いていく。そのうちに、小説の本当の姿があらわれる。

その味わい方こそ、隠し味までちゃんと味わうことができる方法かもしれない。

読んだふりにしないコツ

1 文章をざっと読む

2 内容を理解した後、ゆっくりゆっくり文章をちゃんと読んでみる

3 気になった箇所は、なんでこの順番で文章が書かれているのか？ を考えてみる

背後に隠された秘密を読み取ってこそ、川端康成。

読む技術：あえてさらっと書かれてあることを察する

読む小説：『雪国』

『雪国』
川端康成著、KADOKAWA、2013年

東京でなにもせずに過ごしていた島村は、豪雪地帯に向かう列車に乗っていた。列車のなかには、若い女性と、病人らしき男がいる。彼らはどういう関係なのかと島村は観察する。そして旅先へ着くと、島村はなじみの芸者・駒子と会う。

ＫＹ、ということばが死語になってひさしい。「空気が読めない」という言葉が略されて「ＫＹ」と呼ばれていたけれど、空気が読めるだの読めないだのが問題になるという現象そのものが日本人らしい……と話題になっていた。

が、空気を読む、というか、なんとなく察する、という能力は、日本人に限った能力ではない。

なぜなら、「察する」という能力は、小説を読むうえで、必須項目といっていいくらい大切な能力だからだ。

どの国の小説を読むときでも変わらない。「察する」能力なしに、小説なんて読めるかっ、と私は思う。

だって小説は、ぜんぶを書かないいんだよ。

ぜんぶ書かない。ってどういうことか。

そもそも小説は、なにかしらの文章を使って、ある物語を描く。だけど、当然ながら、その物語が起こっている風景をぜんぶ文章にすることなんか、できない。

たとえば、
「私があなたに『やめてよ！』と叫んで手を上げた」
という文章があったとする。小説のなかに出てきそうな一文。だけどこの一文には、いろんな風景や動作が省略されている。

たとえば「手を上げた」と終わっているけれど、実際に叩いたところまで書いていない（手を上げた＝叩いたということだと私たちは察するけど）。あるいは「やめてよ！」と叫ぶ前に息を吸ったことも書かれていない。あるいは叩くくらいだから、あなたを私は見つめたかもしれないけれど、それも書かれていない。あるいはふたりの背後にどんな部屋の風景があって、どんな日差しのなかだったのか。あるいはふたりはどんな服を着ていたのか。すべて書かれていない。

――これらの情報がなんで書かれていないのか？

べつに伝えなくてもいいからだ。

これって映画やドラマとはちがって、文章にとくに特徴的な話だ。文章は、映像だったらうつしだされるはずの動作、台詞、風景、容姿、すべてを描くことは、ない。

文章を書くとき、私たちは常に書くべきことと書かなくてよいものを選別している。

小説の作者は、とくになにを書いて、なにを書かないのか、気を配って意識的に分けている。必要のない情報を入れないように。必要のある情報はきちんと入れられるように。どんな台詞を言って、どんな服装を着ていたのか、書くべき必然性があるときだけ、小説のなかに書くのが、小説家だ。

だったら、小説の読者はなにをすればいいか？

「なんでこれを書いた・あるいは書かなかったのか？」に気をつけて、察する――ことができるのが、いい小説読者の条件だ。

川端康成は、とにもかくにも「書かない」作家の筆頭だと思う。

ノーベル賞作家！　と、文豪の筆頭とされることも多い作家だけれども。川端康成は、小説において、「書くこと」「書かないこと」の選別を、それはもうものすごく繊細になしている。これ以上ないってくらいに繊細に「書くこと」「書かないこと」を分けるから、川端作品を読んでいると、小説というメディアにしかできないこと（つまり、書かないことを書かないでいられるということ）を見せられているような気がするのだ。

川端康成は、できるだけ書かない。書くことを最小限に抑えている。だからこそ、書かれてあることから、全力で書かれていない部分を察することが読者には求められる。察してこそ、小説の面白さが分かってくる。

川端康成を読むときは、とにかく察するに全力を注ぐ。

これが唯一にして最大のポイントじゃないか、と私は真剣に思っている。

国境の長いトンネルを抜けると雪国であった。夜の底が白くなった。信号所に汽車が止まった。

（『雪国』）

まずはとにかく書き出しが有名な『雪国』。主人公は島村という文筆家。まあお金を持っていて、妻子持ちだが、地方にやってきて芸者を呼ぶような男性だ。トンネルを抜ける汽車に乗っているのは、彼である。

何のために汽車に乗っているのか。はっきりと書かれていない。はい、察する能力が必要とされる場所なんだけれども。
ちゃんと読むと、「あー……ハイ……」と察することができる文章がある。

もう三時間も前のこと、島村は退屈まぎれに左手の人差指をいろいろに動かして眺めては、結局この指だけが、これから会いに行く女をなまなましく覚えている、はっきり思い出そうとあせればあせるほど、つかみどころなくぼやけてゆく記憶の頼りなさのうちに、この指だけは女の触感で今も濡れていて、自分を遠くの女へ引き寄せるかのようだと、不思議に思いながら、鼻につけて匂いを嗅(か)いでみたりしていたが、ふとその指で窓ガラスに線を引くと、そこに女の片眼がはっきり浮き出たのだった。

（同書）

こうやって引用してみると、「あー……ハイ……」としか言いようがないが、まあ、女性に会いに行っているんですよね。しかも昔、関係があった女性ですよね。指に注目。ちゃんと読むと察する必要もないくらい、あけすけな文章だな……と思うかもしれない。

さてこの女性、誰かと言うと、『雪国』のヒロインである駒子だ。駒子と島村は、以前、会ったことがあった。この駒子と島村の昔の関係を説明する回想シーンも、いい場面なんだけど、ちょっと察する力が強くないと、「うん？ どゆこと？」と首をかしげて終わってしまう。「女」とは駒子のことだ。


「酔ってやしないよ。ううん、酔ってるもんか。苦しい。苦しいだけなのよ。性根は確かだよ。ああっ、水飲みたい。ウイスキイとちゃんぽんに飲んだのがいけなかったの。あいつ頭へ来る、痛い。あの人達安壜（やすびん）を買って来たのよ。それ知らないで」などと言って、掌（てのひら）でしきりに顔をこすっていた。

外の雨の音が俄（にわか）に激しくなった。

少しでも腕をゆるめると、女はぐたりとした。女の髪が彼の頬（ほお）で押しつぶれるほどに首をかかえているので手は懐に入っていた。

彼がもとめる言葉には答えないで、女は両腕を閂（かんぬき）のように組んでもとめられたものの上をおさえたが、酔いしびれて力が入らないのか、

「なんだ、こんなもの。畜生、畜生。だるいよ。こんなもの」と、いきなり自分の肘にかぶりついた。

彼が驚いて離させると、深い歯形がついていた。

しかし、女はもう彼の掌（てのひら）にまかせて、そのまま落書をはじめた。好きな人の名を書いて見せると言って、芝居や映画の役者の名前を二、三十も並べてから、今度は島村とばかり無数に書き続けた。

島村の掌のありがたいふくらみはだんだん熱くなって来た。

（同書）

このあたりとか、駒子の酔った場面がかわいいなーと思って読むんだけど。まあ、察せないと「ありがたいふくらみ」とか、何のこっちゃと思うよね。察することができる方は、「（島村の）手は（駒子の）懐に入っていた」あたりで、何のふくらみか察してください……。

で、駒子と島村はこの後関係をもつわけだけど、その描写すら、こちらで終わる。

「私が悪いんじゃないわよ。あんたが悪いのよ。あんたが負けたのよ。あんたが弱いのよ。私じゃないのよ」などと口走りながら、よろこびにさからうためにそでをかんでいた。

（同書）

うーん。よろこびって何のことだか分かりますか。次の文では、以下のように続く。

しばらく気が抜けたみたいに静かだったが、ふと思い出して突き刺すように、「あんた笑ってるわね。私を笑ってるわね」

「笑ってやしない」

「心の底で笑ってるでしょう。今笑ってなくっても、きっと後で笑うわ」と、女はうつぶせになってむせび泣いた。

（同書）

いやはや。この、察する能力が必要な描写。どうですか。注目して読むと、分かるんだけどね。

でも、「小説とは察するものだ」とあらかじめ了解していれば、なんともいえない、男女の機微がこれ以上ないくらい小説的表現になってるなあ、と思えるんじゃないだろうか。

駒子の田舎の少女っぽいかわいらしさ（無邪気なんだけど、それが逆に色っぽい、みたいな）とか、それを見つめる島村のやっぱり一時滞在者ならではのずるさとか（都会の妻子持ちだからなあ）。うまーく、文章で、表現されている。酔って肘をかむあたりとか、いいなあ、と思いませんか。

さてしかし、物語は、駒子と島村の一時的なラブストーリーだけでは終わらない。葉子（ようこ）という娘が登場している。

葉子は、駒子のいいなずけである行男（ゆきお）が病気になってから、ずっと行男の看病をしていたというキャラクターだ。

駒子の手紙を、葉子が預かって島村に渡す。そのついでに、葉子と島村は話すようになる。

「君は恐ろしいやきもち焼きだって、駒子が言ってたよ。あの人は駒子のいいなずけじゃなかったの？」

「行男さんの？　嘘、嘘ですよ」

「駒子が憎いって、どういうわけだ」

「駒ちゃん？」と、そこにいる人を呼ぶかのように言って、葉子は島村をきらきら睨んだ。

「駒ちゃんをよくしてあげて下さい」

「僕はなんにもしてやれないんだよ」

葉子の目頭に涙が溢れて来ると、畳に落ちていた小さい蛾を掴んで泣きじゃくりながら、

「駒ちゃんは私が気ちがいになると言うんです」と、ふっと部屋を出て行ってしまった。

島村は寒気がした。

葉子の殺した蛾を捨てようとして窓をあけると、酔った駒子が客を追いつめる

ような中腰になって拳(けん)を打っているのが見えた。空は曇っていた。島村は内湯に行った。隣りの女湯へ葉子が宿の子をつれて入って来た。

着物を脱がせたり、洗ってやったりするのが、いかにも親切なものいいで、初々しい母の甘い声を聞くように好もしかった。


（同書）


葉子からすれば、駒子は行男という愛する男性のいいなずけだ（行男はすでに亡くなってしまった）。そりゃ駒子のことは憎いだろう。だけど駒子は、いつまでも行男の墓参りをしている葉子のことを、「気ちがいになってしまう」なんて言っている。そりゃ、腹も立つ。葉子はさらに駒子のことを憎く思うだろう。

そして葉子が蛾を殺した、ってけっこう怖い描写がある。けれど、なんで蛾を殺したかというと、駒子の発言があまりにも悔しかったからだろう。

で、島村も葉子が駒子と複雑な関係にあることを察しつつ、しかし歌をうたっている葉子を見て無邪気に「いいねえ」と好ましく思ったりもする。……読者からすると、島村ってやっぱりただのずるい人じゃないか!? と思えてならない。

このあたりの人間関係も、察するに察することを重ねたうえではじめて理解できる微妙な描写、台詞だらけだ。

しかしこんなふうに書かれたら、三人の三角関係で物語が終わりそうなものだけど、『雪国』が面白いのはそんな終わり方ではないところ。

最後、なんと葉子が二階から転落して物語は終わる。駒子は、「この子、気がちがうわ」と叫ぶのが最後の場面だ。島村は駒子に近づこうとして、人に押されてよろめいてしまう。この、葉子が転落して、駒子が叫び、そしてそれに近づこうとしてよろめく島村……という構図が、『雪国』の結末となっている。ぱっと読んだだけだと、「えっ、ここで終わり？」と思ってしまうかもしれない。

だけど丁寧に読んでいけば、お金も時間も持っていて余裕のあるはずの島村が、結局駒子にも葉子にも本当になにもできず、ただ「よろめいて」終わるだけなのも、なんだか納得できるというか、本当に島村はただただ雪国にやって来ただけの人間だったんだなあ……と感じてしまう。駒子が葉子を抱きかかえるのも、いいなずけであるはずの行男の病気の世話を押しつけていた末の結末とも読める。もっと根本的に、結局三人の結末にはなにも残らない、ということかもしれないし。

なんだか、結局何も残らない部外者と地元の女たちとの恋の末がそこにまだあるようで、うまいなあ、と思ってしまう。

展開を盛り上げて、きっちり結末を書くことだけが小説のエンディングではない。彼らの行く末を「書かないこと」もまた、小説なのだと思う。川端康成作品は、うかつに読んでいると、読み飛ばしてしまうような機微に満ちている。だからこそ、察する頭をフル回転させつつ、小説でしか描けないような本当の会話たちを読むことができるんだろう。

読んだふりにしないコツ

1　小説の中では「とばされている描写」があることを理解

2　行間で何があったか、察する

あなたの少年時代はこの小説を読むためにあったんだっ！

読む技術：多重人格になってみる

読む小説：『キャッチャー・イン・ザ・ライ』

『キャッチャー・イン・ザ・ライ』
J・D・サリンジャー著、村上春樹訳、白水社、2006年

少年ホールデンは、成績が悪すぎて学校を退学になる。なにもかもうんざりしつつ、作文の宿題を頼まれたホールデンは作文に弟のことを書くのだが、寮を出ていく決意をする。友人とけんかになり、クリスマス前のニューヨークにホールデンは向かう。

「けっきょく、世の中のすべてが気に入らないのよ」

それを聞いて、僕はさらにぐんぐん落ち込んでしまった。

「そうじゃない。そういうんじゃないんだ。絶対にちがう。まったくもう、なんでそんなことを言うんだよ？」

「まさにそのとおりだからよ。あなたは学校と名のつくものが何もかも気に入らないじゃない。気に入らないことがごっそり百万個くらいあるじゃない。そのとおりでしょう？」

「そんなことあるもんか！　それは言いがかりだ。君の大きな考え違いってもんだ。なんでそんなひどいことを言うんだ？」、やれやれ、僕はこてんぱんに落ち込んだよ。

「なんでもかんでもが気に入らないのよ」とフィービーは言った。

（『キャッチャー・イン・ザ・ライ』）

あんた結局ぜんぶ気に入らないんでしょう、と言われる。だけど本人はちがう、ぜんぶがぜんぶ気に入らないとかそんな大雑把な機嫌で判断してるわけじゃない、と主張する。
いやはや。ここまで思春期が思春期たるゆえんを説明してくれている会話、ほかにあるだろうか。
この会話を面白く読むには、「自分のなかの思春期」を引っ張り出してくるのがいちばんだと私は思う。

あなたのなかには、何歳の自分が住んでいるだろうか。……って聞くと、やばい人みたいに思われそうなんだけど。

私の中には、何人もの自分、というか、何歳の自分もいるなあ～という実感がある。変な話なんだけど、自分の中に、11歳くらいの女の子、とか、14歳くらいの男子、とか、45歳くらいの男の人、とか、55歳の女性、とか、今の自分以外の年齢・性別の自分が、住んでいるような感覚がある。現在私は26歳女だが、それ以外の人格も、自分の中にいる。

……って、これは決して不思議ちゃん話ではない（そう思って本を閉じようとしたそこのあなた、ちょっと待ってー！）。小説を読むとき、その小説に合った年齢の自分を引っ張り出してくると、よりその小説を面白く読めるようになる、という話だ。

『キャッチャー・イン・ザ・ライ』という小説のタイトルを聞いたことがある方は多いんじゃないだろうか。「ライ麦畑でつかまえて」。サリンジャーによる戦後アメリカの青春小説。主人公のホールデンは16歳。学校から退学処分を受けてしまう。理由は成績不良。彼は寮でもルームメイトと喧嘩してしまう。日付はくしくもクリスマス前。親に退学通知が届くまでは、彼は家に帰らず、ニューヨークでホテル住まいをしようと決める……。思春期の少年が主人公の小説といえば、ライ麦畑！　と言われることも多いくらい、「青春小説」の金字塔的な文学だ。

小説には年齢がある。

たとえば第一章で紹介した『門』は、かなり年齢を重ねた年齢の小説だと思う。もちろん20代の私が読んでも面白いのだけど、しかしあの小説の年齢自体は、かなり年上だな、と思う。なぜか。そこで語られているテーマが、夫婦の晩年、人生の振り返りなど、年齢を重ねてはじめて重く切実に響いてくるものだからだ。

『キャッチャー・イン・ザ・ライ』は、若い小説だと思う。10代、20代の小説。決してテーマが若くて浅いとか、作者が若いころに書いた小説だとか、そういう話じゃない（作者が若いころに書いた小説でも、おどろくほどテーマは老いている小説もこの世にはある）。『キャッチャー・イン・ザ・ライ』は、主人公のホールデンの抱えている悩み、テーマが、若い年齢のものなのだ。

「どうしたらこの世界で、ちょっとでもよきことをして生きていけるのか？」――まだ職業や自分のやるべきことが見え切っていない時期に抱えやすい、問いだ。

『キャッチャー・イン・ザ・ライ』を読むとき、あなたの実年齢がどうであろうと、思春期の自分を引っ張り出してくることを私はおすすめする。

自分のなかに存在する思春期の自分を引っ張り出して、その自分に、『キャッチャー・イン・ザ・ライ』を読んでもらうといい、と思う。

……分かりづらいので、さっさと実際に小説を読んでみよう。主人公の有名な台詞だ。

「つまりさ、よく前を見ないで崖の方に走っていく子どもなんかがいたら、どっからともなく現れて、その子をさっとキャッチするんだ。そういうのを朝から晩までずっとやっている。ライ麦畑のキャッチャー、僕はただそういうものになりたいんだ。たしかにかなりへんてこだとは思うけど、僕が心からなりたいと思うのはそれくらいだよ。かなりへんてこだとはわかっているんだけどね」

（同書）

ホールデンは言う。自分の、将来やるべきこと、やりたいことは、満員電車に揺られて会社に行く人生にはない気がする。弁護士とか医者とかそんなのを目指しても、見当たらないだろう。そうじゃなくて、もっとちゃんと「このままだと崖から落ちるかもしれない子」を、キャッチするような、そんな仕事がしたい。

——実際に満員電車に揺られている自分が読むと、「うーん、理想論だなあ」と思いながらページをめくってしまう。

しかし、いまの自分を、ひとまず置いておいて。

昔の自分、あるいは、自分じゃなくてもいいんだけど、ホールデン的な、「本当はもっと世の中のもっとも弱い子どもたちにとって善い存在としていたい」と感じる自分を、引っ張り出してくる。

そして、この小説を読んでみる。

すると、自分のなかに、ホールデン的人格が生まれて、『キャッチャー・イン・ザ・ライ』という小説が、より、つややかに見えてくるのだ！　作者がなにを語ろうとしているのか、分かってくる。

ちょっとだまされたと思ってやってみてほしい。自己暗示！（っていうと急にアヤシゲな宗教みたいになってくるけれど）「私はホールデンと同じ年齢の男子」！　と思い込んで読むのだよ！　絶対、そのほうが、面白く読めるから！

ここから先は完全に余談となってしまうけれど、私は、小説を読むという行為は、自分のなかの多重人格性を癒す作業だと思う。

人間は、本来、誰しもさまざまな年齢の、さまざまな立場の自分を心の中に飼っている。だけど与えられた立場や外面によって、その外面に合った自分を外に出さざるをえない。本当はさまざまな立場の自分が自分を見ているのだけど、そのさまざまな自分を外に出す機会は、たいてい与えられない。

だけど小説を読むことで、というか広く言えば物語を読むことで、さまざまな立場の自分を外に出してやって、呼吸させてやることができる。

ホールデンの台詞を読めば、16歳の自分が呼吸する。

『門』を読めば、55歳の自分がふっと起き上がる。

『老人と海』を読めば、男の自分が息を吐く。

いろんな人格が自分のなかにいることを確認できる。フィクションのなかだと呼吸ができる。だから私たちは、自分とまったく異なる人格の物語を読むと、なんだか癒されるんだと思う。

私たちは自分の物語はある程度定まった、一つの物語しか生きられない。

だけど本当はたくさんの自分がいて、たくさんの物語を体験することを欲している。

それは女性的でもあり男性的でもあり、あるいは若くもあり老いてもいて、外向的でもあり内向的でもある。

現実世界でどの自分を人生のメインと置くかは、外的ないろんな自分の条件によって定められている。

でも物語を読めば、いろんな自分を起こすことができる。

だから、今の自分がどう、って考えなくても、『キャッチャー・イン・ザ・ライ』を読むときは「ホールデン的人格」を呼び起こせばいい、んだと思う。


……余談が長くなってしまった。

もちろんホールデンが心の中にいないよ〜何も呼び起こせないよ〜と嘆く人もいるだろう。それはそれでしょうがない。でも一回は試してみてほしいな。存外、あなたの心にもホールデンは昼寝しているかもしれない。

ホールデン的人格モードで読む『キャッチャー・イン・ザ・ライ』、沁みます。


問題はさ、女の子っていうのは、相手の男がいったん気に入ったら、そいつがどんなに下らないやつだったとしても、「あの人にはコンプレックスがあるだけなのよ」で片づけちゃうし、いったん気にくわないとなると、どんなにいいやつであっても、またどれほど大型のコンプレックスを抱えていたとしても、「あの人はうぬぼれ屋なんだから」となっちまうわけだ。頭のいい女の子だって例外じゃない。

（同書）

読んだふりにしないコツ

1 その小説の年齢を考える

2 その年齢の自分になって読んでみる

こんなに有名な漁師もいません。老人は海になにを見るの？

読む技術：自然を楽しむ

読む小説：『老人と海』

『老人と海』
ヘミングウェイ著、福田恆存訳、新潮社、２００３年

漁師サンチャゴは、メキシコ湾で漁師をしている。少年と一緒にふだんは漁に出ているが、ある時から、魚が釣れなくなってしまう。少年もいなくなったある日、ひとりで漁に出ると、大きいカジキが針に食いついた。

あの小説を誰よりも楽しく読む方法

『老人と海』

小説を読むとき、あなたは何を楽しみに読んでいるんだろうか。

思わず続きをめくりたくなるストーリーライン。胸がきゅっとつかまれてしまうキャラクターの魅力。楽しく読んでしまう、跳ねるような会話たち。

ぜんぶ小説の魅力のひとつだと思うのだけど……もうひとつ、実はあまり知られていない小説の大きな「楽しさ」がある。

それは、自然を感じられる、ということだ。

意外と世間で言われてない小説の楽しさだと思うんだけど。私は、小説を読む大きな理由のひとつに、おおまじめに「自然を感じられる」ことがあると思っている。ある一部の読者にとってはこれ、けっこう大切な話なのだよ。

ヘミングウェイの小説『老人と海』をご紹介する。

老人と海、というタイトルは聞いたことがあるかもしれない。有名だからね。というか、言葉としてキャッチー過ぎる。「老人と海」。

しかしこの『老人と海』。小説を読み慣れていない人が読んだら、これほど「?・?・?」と首をかしげる小説もないんじゃないだろうか。

世界文学全集ベスト50をつくったら、おそらく必ず入るであろうザ・名作文学であるわりに、面白さがよく分からん、っていうかなんでこれが名作なんじゃ、と首をひねってしまう作品だ。……って、なにを隠そう、私は昔読んでよく分からなかったからね！

主人公は、キューバの老人・サンチャゴ。「老人」である。老人サンチャゴは、漁師をしている。彼の仕事は、船でメキシコ湾に出て、一本釣りをすること。

彼には助手の少年がいる。しかし少年は、サンチャゴの釣りが不漁続きになってからというもの、両親から「ほかの船に乗れ」と言いつけられてしまう。釣れないともうからないから。

しかし不漁続きだったある日、サンチャゴの餌に、とても大きなカジキマグロがひっかかった。

三日間もかけて、サンチャゴはカジキをしとめる。このカジキのしとめかたが、それはもう大変そうなのだ。漁をする様子が事細かに『老人と海』には書き込まれているのだけど、サンチャゴの「漁師」という仕事の孤独さが伝わってくる書きっぷり。

だっていつも横にいるはずの助手の男の子すらいない。ひとりでがんばってでかい魚と戦わなくてはいけない、こっちは老いた体、そりゃ大変で孤独だ。サンチャゴはがんばって、というか戦って、カジキをしとめようとする。

しかも『老人と海』という小説のすごさは、カジキをがんばって釣るところで終わらないところ。

せっかく釣ったカジキは、なんと、鮫（さめ）に追いかけられる。鮫は、サンチャゴがしとめて船にくくりつけて持って帰ろうとするカジキを食べようとする。

鮫。カジキよりでかい相手やんけ。と絶望してしまいそうになるのだが、サンチャゴは、どうにか鮫にカジキの肉を食われないようにまたしても戦う。大変である。老体に鞭（むち）を打つ。

……さて、鮫にカジキは食われないで済むのか？　サンチャゴの死闘の釣りの結果は？

ぶっちゃけストーリーとしては、私がほぼすべて説明できるくらい、わりと単純。凝ったストーリー展開や伏線回収、どんでん返しがあるわけではない。

じゃあなぜこの小説が、こんなにも名作だといわれるのか？　ファンが多いのか？　じいさんのキャラが面白いのか。魚との死闘というテーマが新鮮なのか。キューバを舞台にしたところが興味深いのか。……どれもあり得る話だとは思うけど、べつにノーベル賞審査員でもなんでもない一個人の読者としては、冒頭に述べたようにこの小説を読むと「自然を感じられる」という点を、推したい。

そう、この小説を読むと、私たちはそんなに知らないはずの海風の香りを、魚の血のにおいを、船の上で見る夕焼けを、朝日のまぶしさを知ることになる。

その読書体験は、びっくりするくらい、快感を覚えるものになっている。

太陽が昇ってから二時間たった。東のほうを見いっても、もうさほど眼は痛まない。小舟はたった三つしか見えなくなってしまった。それもみんな海面すれすれに見える。ずっと遠く海岸線の近くに寄っているのだ。

いままでいつも、明け方の太陽はおれの眼を傷つけてきたっけ、と老人は心に思った。だが、おれの眼はまだなんともない。夕方になれば、おれは平気で太陽をまっすぐ見つめることができる。夕方の太陽だって、いまよりもっと強い光をもっているのにな。それにしても、朝の太陽は眼に痛い。

ちょうどそのとき、軍艦鳥が黒色の長い翼に身をゆだねて、かれの額のはるか上空を、輪を描きながら飛んでいるのが眼にはいった。その鳥は翼をうしろにそらせ、勢いよく急降下してきたかとおもうと、さっと水面をかすめ、ふたたび輪を描くようにして飛びあがっていった。


（『老人と海』）


私は『老人と海』のなかで、右の場面がかなり好きなのだけど。何がいいって「夕方は太陽をまっすぐ見つめられるけれど、朝は太陽が眼に痛い」という場面。

たとえば、私たちは自然、といわれると、「満開の桜」とか「川のせせらぎ」とか、そんな類型的な風景を思い出す。あまりにもパターンが決まっているというか、それはもはや人工的に鑑賞されるためにつくられた自然なのでは？ と邪推したくなる自然を私たちは「自然」だと思い込むフシがある。

しかし実際の自然、というか、人間がつくっていない世界は、本来、たとえばこういう「眼に痛い」太陽の光だったりする。

それは必ずしも人間にとって心地いいものであるとは限らない。満開の桜とちがって、その桜の木には毛虫がいたりする。あるいはつばめが蜜を吸って落とされた桜の花が足下にあるかもしれない。絵にならない自然がたくさんある。

だけど私は、どうしてか、そのような類型的ではない、必ずしも絵にならない、今風にいえば「インスタ映えない」自然の描写に、なぜか癒される。

たとえば、サンチャゴは空に目を向ける。空には太陽がのぼっている。そろそろ明け方から数時間たったから、目は痛まない。

このあとサンチャゴは軍艦鳥が飛んでいる様子に目を向ける。この鳥が、実はサンチャゴに「このあたりの海のなかで魚の大群がいる」と知らせることになる。

しかし太陽に目を向けた後、その空を飛ぶ鳥に気づき、そして鳥の動きから魚に思い至る場面。なんとも、描写の順番がまるで自分がじっさいに漁をしている気にならないか。目線の動きが自然で、頭のなかで思い浮かんでいる風景が、すうっと空から水面に着地するのが分かる。こういう描写を見ると、小説がうまいなあ、いいなあ、と思う。

なんでこの描写に癒されるんだろう?

それはたぶん、普段は見たいけど見られない、自然の姿が見られたからだ。

私たちは、たとえば海を見ると、ちょっとだけ胸がすっとさわやかになったりする。たとえば山に行くと、なんとなく空気がきれい……というか深く息が吸える気がしたりする。たとえば初夏の風を感じると、ああ気持ちいいな、と思えたりする。

だけどそういう、自然を感じる、という体験は、案外贅沢品（ぜいたくひん）であると私は思う。日常生活を一生懸命送っていると、なおさら。

だって、普通に仕事したり学校に行ったりしていると、なかなか海辺に遊びに行く余裕も、春の風を楽しむ時間も、なかったりするじゃないですか。そもそも山が近くにない、なんて事情もあるし。

そういうときに、小説のなかで自然の描写を読むと、私は、ちょっとだけ胸がすっきりする。

それは映画や漫画で自然の描写があっても、あんまり得られない効果で。小説だけの特権だと感じる。なぜなら、小説だと、作家の上手な自然描写から、自分がその景色の色からにおいから空気に至るまで想像できる。

たとえば『老人と海』には、カジキマグロの血のにおいの描写が出てくるのだが、これは実際に映像で見せられるよりも、ヘミングウェイの描写の力を借りたほうが、ずっとずっと生々しく私たちに迫る。それは、私たちが、言葉から想像する生き物だからだ。

実は『老人と海』のサンチャゴは、漁師としてカジキマグロや鮫と戦ったすえに、ほとんどボロボロになって負ける（ここまで読んだ人へのネタバレです。ごめん）。

ストーリーラインでいえば「動物と海で戦って、負けた」というだけの話が、これだけみんなに読み継がれる小説になった。それは、『老人と海』が描く、魚の肉片のにおいや、手からじんわりとにじむ血や、海辺の潮のかおり、目を刺すほどのまぶしくて痛い陽光、鳥がふだんは見せないほどに必死に水面に突っ込んでいく様子、そしてすべてが終わった後に通り過ぎる猫の気ままさ。そんな「自然」と、自然をとりまく人間や動物の描写が、なんだかとても優れていたからではないか、と私は思う。

優れている、って簡単にまとめちゃうと、何を根拠に優れてるって言えるんだ、と言われるかもしれないけど。それでも私は、この小説を読むたびに、海のにおいをかぐ。太陽の日差しを浴びる。船に乗ったときの夜の孤独を知る。それだけで、日常生活を離れられるし、自然の大きさを知るから、読んで面白いなあと思える。

『老人と海』だけではない。こんなふうに、風のにおいを嗅がせてくれる、海の音を聞かせてくれる、私たちがふだん忘れている自然の描写をしてくれる小説は意外と多い。それは日常で自然のことを考える余裕もない私たちにとって、意外と大切な効用を担っているんだと思う。

読んだふりにしないコツ

1 自然描写に注目
2 自分がぐっとくる描写を探す
3 日常を離れた自然を想像する

パリの片隅で営む格安宿屋。野心に満ちた若者は、お金の真実を知ってゆく。

読む技術：

青年漫画だと思って長い海外文学を読む

読む小説：

『ゴリオ爺さん』

『ゴリオ爺さん』
バルザック著、中村佳子訳、光文社、２０１６年

19世紀のパリでは、娘を愛してやまないゴリオ爺さん、ミステリアスな青年ヴォートラン、そして野心に燃えつつまだ何も分かってない学生ラスティニャックの三人が同じ宿屋で暮らしていた。老人にお金がないのは、実は娘のためだった、と知ることになる。

『ゴリオ爺さん』

とにかく登場人物の名前が覚えられない。

……単に私がアホなのだが、昔の海外小説を読んでいると、頭を抱えたくなる瞬間がある。登場人物が多すぎて、覚えられない。

えっ、こいつ誰だっけ？　ああもうちょっと私の頭がよければもっと小説を楽しめるかもしれないのに！　そう思ったことも一度や二度ではない。

今回はバルザックの『ゴリオ爺さん』を読もう。

舞台は19世紀前半のパリ。

主人公は、法律家として出世することを夢見てパリにやって来た学生ラスティニャック。そして、彼の住む下宿先の住人であるゴリオ爺さん。

物語は、パリで最も安い下宿と呼ばれる貧乏宿屋ヴォケール館から始まる。下宿の住人はラスティニャック、ゴリオ爺さん、そして謎の人物ヴォートランといった貧乏人ばかり。

中でも田舎からパリへ出てきたラスティニャックは、少しずつパリの華やかさにあこがれる。そしていつしか貴族へのコネクションを作るため、親戚のツテをたどって、きらびやかな社交界デビューをする。

一方、ゴリオ爺さんと呼ばれる老人は、いつもみんなからばかにされていた。が、ある日、ゴリオ爺さんには、実は社交界で輝く貴族の娘がふたりいると判明する。そう、ゴリオ爺さんのふたりの娘は、上流階級に嫁いでいったのだ。しかしそれゆえにゴリオ爺さんは二人の娘にお金を工面するため全財産をつぎ込み、破産してしまっていた。

社交界デビューを図るも、上流社会になじめずにいたラスティニャックは、彼の親戚ボーセアン夫人に教育してもらう。そのうちに彼はゴリオ爺さんの娘のひとりであるデルフィーヌに恋をするのだが、彼は田舎からの仕送りを使い込んでしまう……。ラスティニャックは、自分にはどうしても金が必要だと思い、野心家になることを誓う。

そのうちに下宿の謎の男ヴォートランから、ラスティニャックはあることをそそのかされるようになる。同じ下宿に住むヴィクトリーヌに恋をしたらいい、とラスティニャックにヴォートランは囁くのだ。

社交界が出てくるような、登場人物の関係性がメインになる海外文学を読むときのコツ。私が編み出したのは、「長い連載を続けている青年漫画だと思って読む」方法である。

青年漫画。たとえば、『賭博黙示録カイジ』とか『闇金ウシジマくん』とか。あるいは『こちら葛飾区亀有公園前派出所』とか『美味しんぼ』とか『島耕作』シリーズとか。とにかく、なんでもいいのだけど、長い連載を続けている青年漫画を読むときと同じテンションで、読む。

その理由は二つある。

一つ目は、テーマが似ている（ことが多い）から。

二つ目は、キャラの出し方が似ている（ことが多い）からだ。

長くて登場人物の多い海外文学は、意外と、日本の長い青年漫画と共通点がある。

共通点一つ目。テーマ。

面白いことに、登場人物が多くて、長い海外文学というのは、テーマが日本の青年漫画と似ていることが多い。

出世、女性、お金、復讐（ふくしゅう）、グルメ、上司、格差、お酒、出世のための付き合い、老い……。なぜか同じようなテーマを扱っている。

『ゴリオ爺さん』は、お金をめぐる雑誌連載漫画の原型だと思ってよいと思う。『賭博黙示録カイジ』とか『闇金ウシジマくん』とか、「お金をめぐる青年漫画」って一定の人気がある。同じ理由で、『ゴリオ爺さん』も人気があったのだと思う（実際、『ゴリオ爺さん』は刊行当時からたくさん書評が出ていたらしい）。青年ラスティニャックがお金持ちになるべく貴族のお姉さんの心をつかもうと努力したり、ゴリオ爺さんが娘たちを溺愛しすぎて破産したり。お金の問題をキャッチーに描きながら、パリの街の裏表をバルザックは書く。

『ゴリオ爺さん』には、パリの社交界という世界で一番きらびやかな場所の裏でうごめく人間の自意識や承認欲求が子細に描かれていて、「絶対この人、青年漫画好きでしょ！」と読むたび思う。今でいえば会社の人間関係の裏でうごめく出世競争を描いているようなものだ。

だって「この社会ではモテることがすべてよ！」なんて台詞が出てくるんだよ、こんなの漫画の表紙のいちばん目立つところにでかでかと書かれている煽（あお）り文も同然じゃん。

「いいか、よく聴けよ！　幸薄い憐れな貧乏娘の心というのは、愛に満たされたいと渇望するスポンジみたいなもんさ。からからに乾いたスポンジは、同情のひとしずくでもそこにおちれば、すぐさま膨張する。孤独で悲しみのどん底にあり、貧しくて、将来自分に財産が転がりこんでくるなんて思ってもいない、そういう条件の娘に言い寄るんだ。そしたらぽんっ！　ストレートと4カード合わせたくらい強い。買う前から当たりの数字を知ってる宝くじみたいなもんだ

（『ゴリオ爺さん』）

ほら、『モーニング』あたりで連載されてそうな台詞じゃないですか？

人間の欲と社会の裏側と、それらを包括する人間臭さのにおい。都会の街と、格差と、それをひっくり返そうとする野心。

今だったら絶対、小説よりも漫画になって青年誌で連載されてる。だから私たちも古典的な小説だと身構えずに、青年誌の連載漫画をぱらぱらめくるようなつもりで、ミーハーに読めばいいいと思う。

共通点二つ目。キャラの出し方。

話は変わるけど、「こち亀」には、「日暮(ひぐらし)熟睡男(ねるお)」というキャラクターがいる。ご存じだろうか？　四年に一回、夏のオリンピックがおこなわれる時だけ起きるキャラクターだ。それ以外はずっと寝ている。そして漫画連載のなかでも四年に一度、オリンピックイヤーだけ現れるのである（ちなみに実写版のキャストはクドカンだった）。

……いや、覚えてられないよ‼　四年に一度しか現れんて‼

さすがにインパクトの強いキャラなので、こち亀ファンは知っているだろうけれども。こち亀ライト読者からすると、「うーん誰これ」と思うのではないだろうか。

が、しかし。私たちは「うーん誰これ」と思ったとしても、そのまま「こち亀」を読む。なんとなく「知らないキャラが出てきたな」と思いつつ、読み進めて、面白いな、と思える。

実はこれってすごい話だと思う。

長い青年漫画連載あるある、たまにしか出てこない脇役キャラ。しかし私たちはその存在に意外と慣れているのではないだろうか。主要人物はさすがに覚えてられるけれど、たまに出てくる会社の後輩は、「ああ、いたなあ……」くらいの記憶で読んでいるのではないだろうか？

海外文学も、このくらいのいい加減さで読んでいいのではないか、と私は思っている。

きっちりした人には怒られそうだけど、全員の名前を最初からきっちり覚えていなくても、意外と、名前を覚えられないまま読み進めてもいいんだと思う。そのうち覚えられる（たぶん）。神経質になるほうが、読んでてつらいと思う。

「こち亀」読むくらいのテンションで、海外文学は手を出したい。

ちなみに余談だが、登場人物の多さと言えば、バルザックは世界ではじめて「人物再登場法」を作りだした作家として有名だ。

『ゴリオ爺さん』に登場する青年ラスティニャックは、その前に書かれていたバルザック初期の小説『あら皮』で老人として登場していたのだ。

ものすごく多作の売れっ子作家だったバルザックは、コーヒーをがぶがぶ飲みつつ、異様な量の原稿を書いていた。「もっと効率よく小説を書くにはどうしたら……？　あっ、自分のキャラを使いまわせばえーんや！」とある時気づいたバルザックは、それ以来小説のキャラをほかの作品に登場させるようになったのだ。ＣＬＡＭＰ先生みたいな話。

全員のキャラは覚えられなくとも、キャラが立ってる『ゴリオ爺さん』、さまざまな立場のキャラに感情移入できるはず。

娘に貢ぎすぎて孤独な晩年を送るかわいそうなゴリオ爺さん、自分の生まれとは関係なく出世のためにゴリゴリ作戦を練るラスティニャック、犯罪者で危険な香りがするのになぜかかっこよく描かれているヴォートラン。ほかにもパリの街に住むさまざまな立場の人間が描かれていて、キャラが多いからこそ、当時のパリを多様な視点で見つめることができる。

自分の感情移入キャラを見つけるもよし、俯瞰（ふかん）でさまざまなキャラの視点を楽しむもよし。登場人物が多いって、それだけ楽しむ視点も多いってことだと思う。

青年漫画として読むバルザック。一度おすすめしたいです。

読んだふりにしないコツ

1　青年漫画を読むように、俗っぽいテーマを楽しむ

2　青年漫画を読むように、知らないキャラが出てきても神経質になりすぎず、自分の好きなキャラを見つけようとしてみる

常人に見えない世界を見ようとすることが、小説のはじまり。

読む技術：語り手を疑ってみる

読む小説：『ドグラ・マグラ』

『ドグラ・マグラ』
上・下、夢野久作著、角川書店、1976年

九州帝国大学の医学部に「私」は閉じ込められていた。私は記憶喪失状態で、精神病を患っているらしい。どうやらむかし起こった事件と関係があるようで、その記憶を取り戻す実験をおこなっているらしかった。

「私は今日Aさんと道でばったり会った。Aさんは『昨日は楽しかったね』と言っていた」

とつぜんだけど、これが小説の一文だとして。これを原作にして、映画化してください！　と言われたら。

あなたはこの一文をどうやって撮るだろうか？

想像してみてほしい。

「『私』の役者とAさんの役者を道でばったり会わせるシーンを撮る。そして、Aさんの役者に『昨日は楽しかったね』と言ってもらう」

なんとなく、こんな場面を思い浮かべたんじゃないだろうか。

しかし、これ。正確な映像化ではないかもしれない。

ほんとうに右の一文を正確に映像化しようとしたら、

「『私』の役者に『私は今日Aさんと道でばったり会った。Aさんは〝昨日は楽しかったね〟と言っていた』と語らせながら、画面を頭のなかの画像みたいにして、『私』の役者とAさんの役者を道でばったり会わせ、Aさんの役者に『昨日は楽しかったね』と言ってもらう」

が正しいんじゃないだろうか。

……何を言ってるんだこいつは、と思っただろうか。

あのですね、小説は、一人称で語っているかぎり、「実際にその場で起こっていること」なのか「一人称の主が語ってはいるものの、実際その場では起こっていないこと」なのか、分からないんですよ。

つまり、小説の語り手は、いくらでもあなたをだませる。

一人称で語られる小説において、信頼できない語り手と呼ばれる手法が存在する。

私たちは、小説の語り手の言ってることは、絶対的に正しい、と思って基本は小説を読んでいる。「私がAさんと会った」って言うんなら、そりゃ会ったんだろう、と思って読む。じゃないと混乱するし。

しかし、たまに「信頼できない語り手」という手法をうまく使った、面白い小説、というのが存在する。

書いてあることがすべて正しいわけじゃない。そこに書かれていることは、単なる

「語り手から見た景色」でしかない。

つまり、語り手が抑圧していることは、小説でも抑圧されている。語り手が見せたくないものは、見ることができない。

って小難しい言い方をしたけれど、ミステリーを読んでいて、「語り手にだまされた！」って経験はないだろうか？　あれのことである。実は、語り手の「私」が犯人だった。あるいは、語り手によって真実が隠されていた。……その語りにだまされることによって、小説が、ぐっと面白くなる瞬間がある。

この「信頼できない語り手」に注目して小説を読むことができると、ぐっと小説世界が豊かにひろがる。

今回は「信頼できない語り手」に注目しつつ、なんだか読むと狂うらしい『ドグラ・マグラ』という小説を読んでみたいと思う。ねえこの小説、一回は読んでみたい、と思ったことありませんか。表紙がかっこいいよね。

『ドグラ・マグラ』のあらすじを説明しよう。

読んだことのない方でも、もしかしたら書き出しはご存知かもしれない。

「……ブウウ――――――ンンン――――――ンンンン…………」

この音が耳元で聴こえて私は目を覚ます。しかし自分がどこの誰なのか、思い出せない。自分で自分を忘れてしまっている。

考えているうちに、コンクリート壁の向こう側から、少女の声が聞こえる。「お兄さま」と繰り返す彼女は、「モウ一度……今のお声を……聞かしてエーッ……」と声を発する。

ここはどこなのか？　精神病棟？　彼女は誰なのか？　自分は何なのか？　呆然としていると、九州帝国大学法医学部教授の若林という紳士が現れる。

若林教授は、私がいま九州大学の精神病棟に収容されていること、本来私の担当治療医は正木という人間だったことを説明する。しかし正木先生は突然亡くなってしまったので、自分が引き受けることになったのだという。

「当精神病科の面目、否、九大医学部全体の名誉は目下のところただ一つ……あなたが過去の御記憶を回復されるか否か……御自身のお名前を思い出されるか、否かに懸っていると申しましても、よろしい理由があるのでございます」

若林教授は語る。なんと私はとある異常な怪事件にかかわっており、その怪事件の解決には、私の記憶の回復が必要不可欠なのだ。さらに声の主である隣の部屋の少女は私の許嫁（いいなずけ）であり、正木が『狂人の解放治療』という実験をおこなっていて、私はその被験者だったことが明かされる。

混乱しつつ、私が実際に正木の使っていた教授室に入ってみると、『ドグラ・マグラ』という手記を発見する。そこでは正木と若林がモデルとなっているらしく、「……ブウ――――ンンン――――ンンンン…………」という書き出しから始まる。さらに混乱しそうになった私は、若林の指示にしたがい、正木ののこした遺稿を読むことにする。

遺稿の内容は、正木の書いた経文、談話記事、論文、そして呉（くれ）一郎という青年が起こした殺人について書かれてある遺言書だった。

そして遺稿を読み終えた私が顔を上げると、なんと死んだはずの正木先生がそこに立っていた。正木先生は、呉一郎の起こした殺人事件の真実を語り始める……。

『ドグラ・マグラ』、「読むと精神に異常をきたす」なんて言われるけれど。たしかに中盤の、正木の書いた遺稿パートは、読んでるだけでちょっと混乱してくる。

だってこの遺稿パート、正木の思想や論理がえんえんと語られ、そのうえ経文とか物語とか入ってくるんだよ。突然映画が始まったりするし。複雑きわまりない。

正木は自分の「ものを考えているのは、脳みそではなく、細胞」「胎児は、母親の胎内で、人類の太古から今に至るまでの記憶を再生して夢をみている」という説を証明するために、呉一郎の母親と子どもを持って、その胎児に犯罪計画を植え付けようとしていた。そうやって生まれた呉一郎は、みごとに犯罪をおかした、というのが『ドグラ・マグラ』後半のストーリーである。心理の遺伝、というものが存在するか否か？というのが正木のテーマだ。

前半の「私がだれか分からない」パートも、中盤の正木の遺稿パートも、後半の正木による事件の真相が語られるパートも、それぞれの気が狂った登場人物と仕掛けがほどこしており、ミステリーというよりはホラーの様相を呈してくる小説ではある。

小説の中で、『ドグラ・マグラ』という手記（もちろん小説『ドグラ・マグラ』と同じ書き出しからはじまる！　怖い！）が本編に出てきたり。正木の遺稿パートが、後半でまた覆されたり。構造として凝ったつくりになっているのを見るのもまた、楽しいんだけど。

なんだか精巧な飴細工を見ているようで。「これ、どうやって作ったんだ?」って思いながら見てしまう。

だけど、私がこの小説の面白いなと思うポイントは、最初に述べていた「信頼できない語り手」の手法である。

正木は死んだ、って言われてたのに、実は、生きていた。

これ、普通に読んでたら「えっ? どういうこと?」と首をかしげてしまう箇所である。

だって、ずっと正木は死んだんです、って最初に若林は言ってのだ。読者は死んでいる前提で読んでいたのに。

正木は、自分が死んだなんて話は「若林のペテン」だと述べる。若林が嘘をついたのに、きみはひっかかったね、と私に言う。

……しかし、これ、本当だろうか?

若林が嘘をついていたのか? たしかに若林の供述には、不思議な箇所がいくつもある。たとえば、私が目を覚ました日付を若林は大正15年11月20日だと言う。さらに若林いわく、正木の自殺日は大正15年10月19日。しかし私が遺稿を読み終えて正木が登場したとき、「今日は大正15年10月20日だ」と正木は述べる。

日付があわない！　これには主人公も気づいていて、「若林博士の提示した日付は本当にあっているのか？　本当は、自分は寝て起きてを繰り返し、そのたびに記憶をなくして、ループし続けているのではないか？」と疑う場面がある。読者にとって、若林の言うことは信頼できない。

でも、正木が言うこともまた、いまいち信頼できないのだ。

たとえば、正木はあたかも主人公の私が、犯罪者の呉一郎であるかのように語る。しかし一方で正木は、「若林」と「正木」といえばいい場面で何故か「W」と「M」というふうにイニシャルで語り始める。なんでまた、わざわざイニシャルに？　それ以外の場面では、実名で語るのに。

このあたりも、本当は読者に「W＝若林」「M＝正木」と思いこませているだけであって、本当は正木の喋る話も、盛大な「ペテン」ではないのか？　と思える。

つまり、呉一郎の犯罪って、本当に存在したのだろうか？　正木は、私に「呉一郎であったときの記憶を思いだして、記録してくれ」と言う。しかし、私に呉一郎であったことを思い出してもらう……というより、その記憶を捏造させることで、自分の学説や実験を完成させたいのではないだろうか？

じゃないと、わざわざイニシャルにしている意味がない。正木は若林をペテンと言ったが、ほんとうは、正木こそがペテンを私に語っているのではないか？　読者としては、そんな解釈が浮かんでくる。

しかも、こんなことを考えていると、最終的に語り手の「私」ですら信頼できない、という事実にぶちあたる。

物語終盤、私はこれまで覚えている限り体験したことすべてが、夢ではないのか？という思いに駆られる。


……これが胎児の夢なのだ…………………。

……と私は眼を一パイに見開いたまま寝台の上に仰臥して考えた。

……何もかもが胎児の夢なんだ……あの少女の叫び声も……この暗い天井も……あの窓の日の光も……否々……今日中の出来事はみんなそうなんだ……。

……おれはまだ母親の胎内にいるのだ。こんな恐ろしい「胎児の夢」を見てもがき苦しんでいるのだ……。

……そうしてこれから生まれ出ると同時に大勢の人を片ッ端から呪い殺そうとしているのだ……。

……しかしまだ誰も、そんなことは知らないのだ……ただおれのモノスゴイ胎動を、母親が感じているだけなのだ。

（『ドグラ・マグラ 下』）

私は、私のことを覚えていない。ただ時計のブーンという音を聴いて目覚めただけだ。だとすれば、自分はもしかして繰り返し夢を見ているだけなんだろうか？　呉一郎も、正木も、若林も、すべて胎内で見ている夢なのか？

……こんなこと言われだしたら、読者としては、この小説のいったいなにを信頼したらいいんだよ！　と叫ばずにはいられない。

小説は、時折、嘘をつく。

読者はあるとき、気づく。もしかして語り手は、読者にすら語っていないものがあるのだろうか、と。

そのとき、小説を読む、という行為がより面白くなる。だって、小説に書かれていないことを読めるようになるから。小説がなにを隠し、なにを書いていないのか、読者は見つけることができる。

小説に書かれていないことを読めるようになったら、もっと読むことが楽しくなる。

読んだふりにしないコツ

1 もしかして、物語の語り手が嘘をついているんじゃないか？　と疑ってみる

2 疑ったすえに出てくる物語の解釈を楽しむ

アニメよりもずっとかなしい、アニメよりもずっと面白い、大人が読みたい子どもの小説。

読む技術：

児童文学はストーリー以外も楽しめる

読む小説：

『ピーター・パンとウェンディ』

『ピーター・パンとウェンディ』
ジェームズ・M・バリー著、大久保寛訳、新潮社、2015年

ピーター・パンは、永遠の子ども。でも彼がネバーランドに連れて行ったウェンディは、いつか大人になろうとするひとりの少女だった。有名なアニメ映画の原作小説。

児童文学を、大人になって読むことのいいところ。それはストーリーがすでに分かっていることだ。

何度も言うけれど、私は、小説における、いわゆる「ストーリー」なんて些末(さまつ)な存在だと思っている。ぶっちゃけ、小説のストーリーなんて、男女が出会って恋をして別れるだけでもいいんだよ！　いや、極論だけど。もちろん好きな小説たちのストーリーをこそ愛しているけれど。

だって、たとえ同じ作家が同じストーリーを書いたとしても、小説として、ちがうものになると思いません？

夏目漱石と太宰治は、村上春樹と村上龍は、サリンジャーとフィッツジェラルドは、同じストーリーを書いたとしてもきっとちがう話になるでしょ。

ストーリー、つまり行き着く先は同じでも。どんな台詞を言わせるか、どんなところにテーマを置くのか、どんな設定の人物を登場させるのか、どんな文体で書くのか。作家によってちがうはずだ。というか、それをちがわせるのが、いわゆる作家性とか、あるいは作家としての才能なんだと思う。

だからこそ、すでにストーリーがなんとなく分かっている小説のほうが、逆に「小説としての面白さ」に気づくことができる。

実は小説は二度目に読み返すほうが面白い。つまりは明日のカレーはおいしい、みたいな話かもしれない。ちがうか。

そのいい例が『ピーター・パンとウェンディ』という小説だ。

っていうと、99%の確率であなたはあの某巨大資本のアメリカン・アニメ製作会社の「ピーター・パン」を思い浮かべたでしょ。そうでしょ。

「ピーター・パン」がどういう話かを知っている人は多い。ピーター・パン。大人にならない、永遠の子ども。金色の妖精を連れて、ウェンディの部屋に影を忘れてしまう男の子だ。

しかしピーター・パン、あまりに有名すぎて、もはや「ピーター・パン症候群」みたいな心理学ワードの連想まで浮かんでくる。ピーター・パンが部屋に忘れてしまう「影」とは何か？　とか、「ネバーランド」とは何を指すのか？　とか、たいして面白くない問いかけすら生まれてしまう。

が、しかし。すべては『ピーター・パンとウェンディ』という小説のほうを読めば解決する。と私は断言したい。ちなみに今回は、私が大学の授業で聞いて感動した解釈をお伝えしたい。**先生、勝手に解釈公開してごめんなさい！**

小説はアニメと異なり、ウェンディの家族構成や、父母の心情にかなり枚数を重ねる。そしてネバーランドに行く前と帰ってきた後の描写がかなり長い。たぶんアニメのイメージで小説を読むと、「あれっ、ネバーランドの話少なくない？」と思われるかもしれない。

だけど小説『ピーター・パンとウェンディ』は、家族の話を長めに書くからこそ意味がある。なぜならピーター・パンは、永遠に家族をもたない子どもだからだ。「子守が目を離しているすきに乳母車から落ちて、引き取り手が見つからなかった子どもがネバーランドに送られる」という話をピーターがする描写があることから分かるように、作者は意図的にネバーランドを「親のいない」場所として描く。で、そんな子どもにとっては夢の国・ネバーランドから帰ってきたウェンディに、ピーターはさよならを言う。

「やあ、ウェンディ、さようなら」ピーターは言いました。

「あなた、行ってしまうの？」

「ああ」

「ピーター、ねえ、あなた」ウェンディは口ごもりながら言いました。「わたしの両親に何か話したいんじゃないの、とてもすてきなもののことを？」

「いや」

「わたしのことは、ピーター？」

「いや」

お母さんが窓のところまで来ました。今ではウェンディをしっかり監視していたのです。お母さんはピーターに、他の男の子たちをみんな養子にしたから、あなたも養子にしたいと話しました。

「ぼくを学校に行かせるんでしょ？」ピーターは抜け目なくききました。

「ええ」

「それから、会社に？」

「そうでしょうね」

「そのうち大人にならなくちゃいけないの？」

「近いうちにね」

「ぼくは学校に行って、まじめくさったことなんか勉強したくないんだ」ピーターは激しい口調で言いました。「大人になんかなりたくないんだ。まっぴらさ、ウェンディのお母さん、朝、目を覚ますとひげが生えてくるなんて！」

「ピーター。わたし、きっと、ひげのあなたが気に入るわ」なだめ役のウェンディが言いました。


（『ピーター・パンとウェンディ』）


はい、あなたがこの文章のなかでもっともグッとくる場所はどこですか。

やっぱり「大人になんかなりたくないんだ」というピーターの叫び？　あるいはウェンディの切ない「あなた、行ってしまうの？」という問いかけ？

きっとこの場面のどこにグッとくるかは人によって異なる。

私の場合は、「ひげが生えてくるなんてまっぴらだ」と叫んだピーターに、ウェンディが「私はあなたのひげがきっと好きよ」と述べるところ。

こんなかなしい会話ってないと思う。私は大学ではじめてこの場面を読んだ時、泣けてしょうがなかった。ピーターは、あきらかに「性を持たない子ども」として描かれていない。もちろんベースは男の子だけど、そもそもジェンダーを彼は持っていない。第二次性徴前、という話かもしれない。だけどウェンディには女の子というジェンダーがある。彼女はピーターに恋をしていたのだ。彼女は「大人」に足を踏み込みかけていて、彼女なら「ピーターのひげ（＝つまらない男の人になったピーター）を愛することができる」のだ。

だけど当然のようにピーターはそんなこと望んでない。自分ははっきりと、大人になる能力を手に入れられるとしても、そんなのはいやだ、というのだ。そりゃウェンディと恋愛してる場合ではない。

小説のピーターは基本的にウェンディを母親扱いしていて、ウェンディはそれに拗ねる場面がある。だけどねえ、ウェンディ、ピーターはジェンダーを持たない子どもなのだよ。

ピーターは翌年の春の大掃除の時には来ました。奇妙なことに、ピーターは、一年ぬかしたことにまったく気づいていませんでした。

ウェンディが子どもの時にピーターに会ったのは、それが最後でした。もう少しのあいだ、ウェンディはピーターのために大きくなるまいとしました。常識テストで賞をもらった時には、ピーターを裏切ったような気がしました。しかし、何年たっても、あの気ままな少年はやって来ませんでした。そして、二人がまた会った時、ウェンディはもう結婚していました。ピーターは、ウェンディにとって、昔オモチャをしまっていた箱の中の小さな埃にすぎなくなっていました。ウェンディは大人になったのです。**ウェンディに同情する必要はありません**。むしろ大人になりたいタイプの人間だったのですから。結局、ウェンディは自ら進んで他の女の子よりも一日早く大人になったのでした。

この頃にはもう、男の子たちもみんな大人になり、おもしろみのない人間になっていました。ですから、男の子たちについてはこれ以上語ることはほとんどありません。

（同書）

ここで面白い文章は……「ウェンディに同情する必要はありません」という語り手の一文。普通に考えたらいらなくないですか？　なんで「こいつに同情する必要なんてないぞ」なんて、ウェンディにいささか厳しい言葉が入っているのか。

それはおそらく、語り手つまりは作者自身が、大人になろうとするウェンディのことをがっかりしていたからではないか。つまり作者は、やっぱり子どもには子どもでいてほしいという気持ちを抱いてこの小説を書いたのではないだろうか。

もちろん作者は子どもを手放しで可愛くて甘やかすべき存在だなんて思ったわけではない。なぜならピーターは、小説を読むと驚かれると思うけど、か、な、り、残酷なやつだ。ためらいなく人を殺すし、殺したやつのことも忘れるし、赤ちゃんのことは放り投げる。ちょっと「え？」って思うくらい残酷だ。だけどそれについては、こんな台詞がある。

「どうしてもう飛べないの、お母さん？」

「大人になったからよ。人は大人になると、飛び方を忘れてしまうの」

「どうして飛び方を忘れてしまうの？」

「**もう陽気でも無邪気でも情け知らずでもなくなるからよ。**飛べるのは、陽気で無邪気で情け知らずな人だけなの」

「陽気で無邪気で情け知らずって、どんなふうなの？　あたし、陽気で無邪気で情け知らずになりたいわ」


（同書）

陽気で、無邪気で、情けを知らない存在。それが作者にとってはおそらく子どもだったのだろう。人への思いやりがないからこそ、子どもは飛べるのだ。必ずしも飛べることが自由の象徴だとか善だとか、そういうふうには作者は描いていない。ただ、情けを知らないからこそ、性を持たないからこそ、子どもは飛べる。そしてそんな子どもを、作者は結局愛している。そんなふうに『ピーター・パンとウェンディ』は読めてしまう。大学でこの解釈を習った時、私は感動してしまった。

『ピーター・パンとウェンディ』、単純に冒険のストーリーを面白がったり、ウェンディとピーターの別れをかなしんだりするだけでも楽しく読めるんだけど。でもそのストーリーを分かったうえで読むと、ストーリーを追いかけているだけでは分からない、作者が込めたメタファー、なんとなく「この一文ってなんで入ってるんだろ?」って気づく一文、あるいはその登場人物の本当の真意、みたいなものが分かったりする。

児童文学はとくにメタファーを使うことが多い世界だ。だって子どもに向けて語るのだ。社会がどうとか、歴史がどうとか、事実を伝えるよりも物語にしたほうが伝わるものは多いはずだ。

ピーター・パンは、単純に体が成長しない子どもなのか? ううんもっとそれ以上に複雑な、性を拒み、社会を拒み、家族を拒む、誰かの理想なはずだ。小説をちゃんと読むと、それが分かる。

最後に私がこの小説のなかで、いちばんかなしいと思う、グッとくる場面を引用して終わりたい。

大人になんてならないはずだったウェンディも、最後は結婚して子どもが産まれる。その子どものもとに、ピーター・パンはやってくる。ウェンディの子どもと一緒に、ウェンディに見送られながら、ピーター・パンはネバーランドに飛び立つ。

「さようなら」ピーターはウェンディに言いました。そして、空中に舞い上がりました。ジェーンもなんのためらいもなく舞い上がりました。ジェーンにはもう、飛ぶのが最も簡単な動き方になっていました。

ウェンディは窓に駆け寄りました。

「だめよ、だめ」ウェンディは叫びました。

「春の大掃除の時だけよ」ジェーンは言いました。「ピーターがね、あたしにいつも春の大掃除をしてほしいんですって」

「わたしが一緒に行けたらいいのに」ウェンディはため息をつきました。

「**お母さんは飛べないんでしょ」ジェーンは言いました。**

（同書）

もう、引用するのもかなしい。

だって、大人になったウェンディだって、結局ピーターの姿を見れば、「一緒に飛べたらいいのに」って思ってしまう。だけど娘に言われる。「お母さんになったら、お母さんは飛べないでしょ」と。

お母さんになることを選んだのはウェンディ自身だっただろう。だけどそれでも、自分を大人にした張本人である娘から、「お母さんはお母さんになったんだから飛べないでしょ」なんて言われるなんて、こんなかなしいことあるだろうか。

もちろんウェンディは本気で空を飛びたがっているわけじゃないんだろう。だけどそれでも「私も飛べたら」と呟いてしまう。しかしそんなウェンディに引導を渡すのは、かつての自分であり、自分が産もうと選択した相手なのだ。

やっぱり『ピーター・パンとウェンディ』の物語において、こんな陰影に満ちた結末が読めるのは小説だけだと思っている。

あらすじが分かっているからこそ、大人になって読むからこそ、小説『ピーター・パンとウェンディ』は、いいんだよ。

あの小説を誰よりも楽しく読む方法
『ピーター・パンとウェンディ』

読んだふりにしないコツ

1 あらすじを知ってる児童小説を読む

2 ぐっとくる場面から、作者の思想やメタファーを読み取る

大人になりたいけど、自由を手放したくない。四姉妹の自立と愛情の物語。

読む技術：違和感から読んでいく

読む小説：『若草物語』

『若草物語』
全4巻、L・M・オルコット著、吉田勝江訳、角川書店、2008年

南北戦争時代のアメリカで。マーチ家の四姉妹――長女のメグ、次女のジョー、三女のベス、そして四女のエイミーは暮らしていた。父は戦争に行っているが、母が優しく育ててくれる子ども時代。彼女たちは母の教えるキリスト教的価値観のもとで、自分の夢や結婚をみすえつつ、隣人との交流や家庭、仕事のなかで成長してゆく。

小説を読んでて、「ええー？　そういう展開になるの⁉」と声を上げたことはないだろうか。

なんとなく予想していた展開とちがっているとき。ほんとに⁉　そっち行く⁉　と眉をひそめたくなるとき。なんでわざわざ作者はそういう展開にしたんだろう……？と謎に思うとき。

大丈夫！　その違和感は、合っている！

と、私は声を大にして言いたい。

読者が小説の展開に違和感を持つとき、たいていそれは、「合っている」違和感である。

合っている、とはどういうことか。それは、違和感を持って、「なんで？」と考えるべきポイントだ、ということ。

小説の書き方は多種多様に存在しているんだろうけれど、読者からすれば、作者のこだわり――つまりはその物語で作者が「書かざるをえないこと」を読む方法は、意外と少ない。そして小説の作者が「書かざるをえないこと」に気づくと、もっと面白くなる。

だって、小説は、ひとりで書くものだ。映画はみんなでつくるし、漫画はアンケート結果の反映や編集者の手が入ることも多いけれど（もちろん映画にも個人製作はあるし漫画もほとんど作家性しか存在しないものもたくさんある、あくまで傾向の話だ）。小説は、元手もいらないし、本当に一人で自分の書きたいものを書いた場合が多い。古典と呼ばれる、ほとんど編集者の手が入っていない時代のものはとくに。

私たち読者は、作者個人の思想を知りたくて読んでいるようなものだ。

だったら、作者の「書かざるをえなかった」部分に注目して読むのが、いちばん面白い読み方じゃないだろうか？

具体的な話に入ろう。今回は『若草物語』という小説を読んでみたい。『赤毛のアン』と並んで世界中の少女たちに愛されている児童文学で、なんとこれまでに7回も映画化されている。

実はあまり知られていないのだけど、『若草物語』は全4巻もあり、主人公たちの子どもの世代の話に至るまできっちり描かれている。

主人公は、19世紀後半のアメリカに住む四人の姉妹たち。メグ、ジョー、ベス、エイミー。父は牧師として南北戦争に出征してしまったため、母と女中と四姉妹で家を切り盛りしなくてはいけない。『若草物語』は、のちに作家となるジョーを主人公として、四姉妹の人生を、キリスト教的価値観も含みながら描いている。

四姉妹の幼馴染に、ローリーという男の子がいる。ローリーは、お金持ちの息子なのだけど、ジョーたちの家の近くに住んでおり、じょじょに四姉妹と仲良くなる。とくにジョーとは気が合って、いつも仲良く遊んで一緒に成長するキャラクターだ。……で。ここまで書くと、思わずこう先取りしてしまうかもしれない。「あ、ジョーとローリーが結婚して、その次世代を描くところまで話が進むのかな！」と。

ちなみに私はばっちりこう思っていた。『若草物語』、ジョーとローリーがあまりに仲良さそうなので、いいねえ、このふたりの夫婦エピソードも見たい、とのんきに思っていた。

どっこい。オルコットは、そんな安易な展開を書かなかった。

なんとジョーはローリーのプロポーズを断る。そしてローリーは、ジョーの妹のエイミーと結婚することになるのだ。

「えっ、なんで？」

違和感を持つ。

えっ、ジョーとローリーがくっつくのが普通じゃないの？　と。

だけど違和感の先に思考を進めたら、もっと面白い読み方が待っている。つまり「なぜ読者が違和感を持つ展開を、この作者は書いたんだろう？」と考えるのだ。

ここでは、「なぜジョーとローリーが結婚するという展開を作者が避けたのか」という違和感を考えてみようと思う。

まず、ジョーは作家志望の少女だ。そして考え方がかなり先進的。１８６８年という原作刊行時期から考えると、だいぶ時代を先取りした「一生働くことを夢見る少女」だった。実際物語が進むにつれ、ジョーは作家として生きる道を模索し始める。

一方で、ジョーは「自分は生涯結婚しない」と述べるキャラクターでもある。誰にも縛られたくなんかないし、自由でいたいのだ、と彼女は言う。

ジョーは、ローリーを、どうしても恋愛相手として受け入れることができない。

ジョーはあくまで言い張った。「そのうちにあなたはこんなこと忘れてしまうのよ。そして美しいりっぱなお嬢さんをみつけるの。そのひとはあなたを大好きで、あなたのりっぱなお家のりっぱな奥さんになるの。私はだめ。私は美しくもないし気もきかないし、変わりものだしおばあさんでしょう。あなたはいまに私なんか恥ずかしく思うようになるわ。そして喧嘩するのよ——今でさえそうでしょう、ね。私は上品な社交界なんてきらいなのに、あなたは好き。あなたは私が物を書くのがいやなのに、私はそれがなくては生きられない。私たちは不幸になるの。そして結婚なんかしなけりゃよかったと思うの。なんて恐ろしいことになるんでしょう」

「それから?」ローリーはきいた。このたてつづけの予言を、これ以上我慢してきいていることができなかったのだ。

「もうないわ——そうね、私はだれとも結婚なんかしないんだと思っててちょうだい。私はこれで幸福なの。私は私の自由をとても愛しているから、それを急いでどんな人間とだってとりかえっこしようなどとは思ってないのよ」

（『続　若草物語』）

ジョーはとにかくローリーと恋愛できない、結婚することはないのだと述べる。読者も誤解するくらいローリーはジョーと仲が良かったのだから、ローリーもかわいそうっちゃかわいそうな場面。ちなみに『若草物語』の作者オルコットのもとには、「ローリーはなんでジョーとくっつかないんですか!?」という抗議の手紙がやたら届いたらしい。無理もない！

しかし、ジョーのこの拒否の理屈。「とにかく自由でいたいし、ローリーと恋愛するのは無理」というただ一点張りで押し通している。読者としては、「本当のところ、いったいなぜジョーがローリーを拒否するに至ったのか？」が分かりづらい箇所なのだ。ジョーが自由でいたいのは分かるが、この後ジョーはベア先生という男性と結婚する。じゃあ、なんでローリーはだめだったんだろう？

こういう違和感は、問いの視点を、登場人物から作者へ転換して考えるといい。

「作者からすると、ジョーはローリーを拒否しなければいけなかった理由が存在していた。それは何だろうか？」と。

ここからは私の解釈だけど、この「結婚しようと誘うローリーを、ジョーがもっと自由でいたいのだと拒否する」場面を読んだとき、私は同じく児童文学の金字塔である小説『ピーター・パンとウェンディ』の一節を思い出していた。『ピーター・パンとウェンディ』のラストでは、ウェンディの告白をピーター・パンが断っている。ウェンディは「やっぱりあなたのこと、本当は男の子として好きよ」と述べ、一緒に大人になろうと誘う。しかしピーター・パンはそれを拒否する。「僕は一生、誰にも縛られずに自由でいるよ」と。きみのことは好きだけど、女の子として好きなわけじゃないんだ、という場面が描かれる。詳しくは『ピーター・パンとウェンディ』の章で紹介したので、そちらを読んでほしい。

……でも、このような構図ってピーター・パンにしろ、少年に顕著だったよなと思う。

「女の子はませている」とよく言うけれど、恋する女の子ははやく大人になって結婚したがっている。しかし男の子がもっと自由でいたい、縛られたくない、と拒否する。「誘う女性」に「自由を選択する男性」というよくある構図。少年漫画やアニメでたまに描かれるし（「俺の冒険はまだ続く！」ってやつである）、あるいは『男はつらいよ』の寅さんなんて、このような系譜の筆頭だろう。男は少年でいたいんだよ、なんて言葉は完全に時代遅れの偏見クリシェだと思うけれど、それでもそんな台詞を聞いたことがあるのは事実だ。

だけど考えてみてほしい。同い年の少年が「結婚しよう」と誘ってくるのに、「もっと自由でいたいの」と拒否する少女の話が今まであっただろうか？

私が見てきた限り、そのような話はほとんど見えないように思う。

あるいは、プロポーズに対して「自由でいたい」と男性を拒否する女性は、結局そうやって男性を惑わす小悪魔的な存在であって、むしろ性的には成熟しているものとして描かれてきた。

ピーター・パン症候群なんて名前もあるくらい「大人になりたくない」話は普遍的なのに、なぜかこの手の恋愛の絡んだ話で、少女が主人公になることはない。物語のなかでピーター・パンの立場に立つのは、いつだって少年のほうだったのである。少女は「少年より一足はやく大人になって、少年を誘う」立場だったのだ。

でも実は『若草物語』は、かなり稀な、恋愛において「大人になりたくない」少女の話を描いていた。

みんな、大人になって家を出たりなんかせずに、ずっとここで遊んでいられたらいいじゃないか。男女の関係になんてなりたくない、私の好きはそういう好きじゃない。――このようなジョーの嘆きは、実は多くの少女にとって普遍的だった。だから『若草物語』のジョーは人気がある。でもそういう嘆きが他の物語で一般的でないのは、それを口に出すことがゆるされていなかったからだ、と考えられる。

なぜなら少女は「女性」としての役割を引き受けることを喜んでいるのだ、という社会的な抑圧がずっとあったから。

つまり、『若草物語』の作者オルコットが、読者に「えっ、ローリーとジョーって結婚するんじゃないの!?」という違和感を与えてまで、ローリーを拒否するジョーを描いたのは、彼女なりの、女性の抑圧されていた願望を、ジョーに乗せて描きたかったからじゃないか。そう思えてならない。

私たちが、すんなりとふたりが結婚するもんだと思い込んでしまうことだって、結局は結婚至上主義の、「少女のキャラクターが大人になったら、誰かと結婚して物語が終わる」という前例に縛られているからだ。オルコットが取っ払いたかったのは、そういう、私たちの無意識な抑圧だったんじゃないんだろうか。

少女は恋をして結婚したがっている、自由な少年を縛り付ける役目。『ピーター・パン』を引用するまでもなくそのような思い込みがなぜかまかり通ってきたけれど、『若草物語』を読む限り、少女だって、本当は少年と同じように「ずっと自由でいたい」という願いを抱えていたんだろう。

ただ、それを口に出し物語として流通するには、社会が追いついていなかっただけで。

こんな願いが普遍的だからこそ、2020年になってもジョーの叫びは私たちの心を打つし（2020年には『ストーリー・オブ・マイライフ　わたしの若草物語』という映画が公開された）。私たちの後の世代にも、きっとジョーをあこがれとする少女がいるんだろうし。

しかし1868年という時代に生まれたにしては、なんて新しい物語なんだ、『若草物語』！　と、ちょっと感嘆するほかない。

そしてこんなふうに作者のこだわりを読み取るのは、結局、読者が、「あれ、普通だったらこうじゃない？」という違和感を持つことから始まる。

だからこそ、言いたい。その違和感、合ってるよー！　と。

読んだふりにしないコツ

1 「なんでこの展開!?」とびっくりする箇所に出会う

2 作者がなぜそれを書いたのか考える

3 違和感は必要なものだったのかと納得する

愛されないのと、愛せないのは、どっちが不幸なんだろう？

読む技術：小さな問いから、大きな問いへ結びつける

読む小説：「亜美ちゃんは美人」

「亜美ちゃんは美人」『かわいそうだね？』所収、綿矢りさ著、文藝春秋、２０１３年

さかきちゃんは美人。でも友人の亜美ちゃんはもっと美人。学生時代からずっと美人でみんなから愛されていた亜美ちゃんは、就職してから、変な男と付き合うようになる。彼と結婚する、という報告をある日さかきちゃんは聞くことになる。なぜそんな男と結婚するのか分からないさかきちゃんは、男に話を聞く。

「亜美ちゃんは美人」

とつぜんですが、愛されないことと、愛さないこと、どっちが孤独だと思いますか。

すいません、いきなりこんなこと聞いて。いや、今回読む小説が、こういうテーマなんですよう。ちなみに私はどっちだと思うかと言えば……難しいっすね。

今回取り上げる小説は、綿矢りさの「亜美ちゃんは美人」。中編小説なのだけど、綿矢りさらしい人間関係の絶妙にこじれたラインをついてくる、まあ私はとっても好きな小説だ。いやーほんと好きなんだよな、この小説。

主人公のさかきちゃんは美人である。でも、親友の亜美ちゃんは、誰もが美人と思わざるをえないくらいの美人なのだ。

彼女たちは、高校も大学のサークルも一緒だった。亜美ちゃんはいつだって人気者、さかきちゃんは亜美ちゃんの世話係。――ふたりの関係性はかわらず、高校で出会ってから、大学に至るまで、推移してゆく。

しかしさかきちゃんが就職し、ふたりは疎遠になる。

そしてさかきちゃんと久しぶりに会った亜美ちゃんは、「亜美を好きだと思ったことは一度もない」と豪語する不良と結婚すると言う……。

本書では小説を読むコツをいろいろお伝えしている（つもりな）んだけど、「これは何？」という問いを持つ」「違和感に着目する」ことを説明してきた。

が、「問い」とか「違和感」といっても、意外といろんなスケールのものが存在する。

たとえば、小さい問い、小さい違和感というものがある。「亜美ちゃんは美人」で考えてみると……。

【なんで主人公は「さかきちゃん」と呼ばれているの？（最後の結婚式の描写で、本名は「坂木蘭」だと分かる。つまり、彼女はずっと名字で呼ばれているのだ）】とか。【なんで冒頭の文章は『白雪姫』の「女王様は美しい。でも白雪姫はもっと美しい」という台詞を使っているの？白雪姫とこの小説って関係あんのかなあー】とか。【雪山の怪談のエピソードって、突然入ってくるけど、このエピソード本当に小説に必要⁉ いらなくない⁉】とか。

本当に、小説を読んでいて生まれる、ちょっとした小さい違和感のことだ。

反対に、大きい問いもある。

その小説を読めば誰もが抱くであろう、大きい違和感。「亜美ちゃんは美人」の場合は、これに決まってる。【なんで亜美ちゃんは、美人で人気者だったのに、ぜったい結婚しても幸せになれなそうな不良と結婚したんだろう?】

小説を読むときは、小さい問いを解く→大きい問いを解く、という順番で解いてゆくと、実は面白いほどするっとその小説の謎が解けることがある。

もちろん、問いを持たずにただ読むだけでも小説は面白い。だけど、問いを解くことで、自分だけの小説の解釈が生まれて、自分にとってもっとも面白い小説の読み方を得ることができる。……と思う。少なくとも私はそうだ。

せっかく読むなら、読む快楽を最大限引っ張り出したいじゃん!

①「なんでこんな台詞・エピソード・人物描写が入ってるの?」と疑問を持ってしまう、不思議ポイントを見つける(できるだけ細かく!)

②その小さな問いを解く(直接、答えが書かれているわけではないが、ヒントになる場所を見つける)

③作品について誰もが抱く大きな問いを解く

「亜美ちゃんは美人」で、考えてみよう。今回は、「なんで突然『雪山』の怪談エピソードが入ってるの？」という〈小さい問い〉に注目してみたいと思う。

「雪山」のエピソードというのは、さかきちゃんが大学のサークル合宿（もちろん亜美ちゃんもいる）で喋った、怪談話である。

——男ふたりが雪山を登っていた。しかし吹雪によって遭難してしまい、一方がとうとう亡くなってしまった。一方の男は、あたたかい避難小屋を見つける。友達の亡骸を埋めてやり、小屋でぐっすり眠る。しかし朝起きると、隣には埋めたはずの友達の亡骸が、自分のそばに横たわっていた。なんとこれと同じことが、何晩も続いたのである。ある日、彼が一晩の様子を録画してみた。するとそこには、突然むくっと起き上がり、友達の亡骸を掘り起こして小屋の中に横たえている自分が、うつされていたのだ——。

ホラーと言えばホラーだし、けっこう奇妙に怖い話だなと思うけれど、この話、小説のなかではちょっと浮いている。ぶっちゃけ、この話、なくてもいいと思う。だって「みんなで怪談話をしてサークル合宿を楽しんだ」で終わらせてもいいわけだから。

だけどなんで作者は、枚数を使ってこの挿話を入れたのか？

――それは、この怪談話が、「亜美ちゃんは美人」という物語にとっては、けっこう重要な話だからじゃないだろうか。

読者がそう思うようになるのは、亜美ちゃんが不良と結婚すると言って、親や友達からこぞって反対される場面だ。もう誰も呼ばないで結婚式する、でもさかきちゃんだけは式に来てね、と亜美ちゃんは言う。そして彼女はこう述べる。

「さかきちゃんは、雪山で遭難した男の人みたいに、亜美をほり返してくれるよね」と。

「山岳同好会で霧ヶ峰に登ったとき、さかきちゃん話してくれたでしょ、雪山で遭難して、埋めたはずの友人の死体を寝ている間にほり返してしまった男の人の話。私、あの話聞いたとき、実はとても感動していたの。一緒に山登りしていた二人は、よっぽど強い友情で結ばれてたんだなって」

あれって、そういう話だったっけ。いや、違う。ひどい勘違いだ。

「生きていた男の人は、理性では友人は死んじゃって、腐る前に雪のなかに埋めてあげなきゃと思ってるのよ。でも心の底ではせっかく見つけたあたたかい山小屋のなかに入れてあげず、つめたい雪山に埋めているのがかわいそうで仕方が無いのよ。だから眠って無意識になってから友人を助けてあげた。何度も、何度も。さすがさかきちゃん、いい話するなあってあのとき感心してたの、私」

（中略）

「私の結婚を、ほかの人たちが反対する理由も、分かってはいるのよ。きっと私のことを心配してのことでしょう。**でも今は、さかきちゃんだけが私を雪のなかからほり起こして、部屋に上げてくれる。それがうれしいの、私**」

（「亜美ちゃんは美人」）

最後の文章、これはつまり亜美ちゃんにとって、さかきちゃんが不良との結婚に反対しないことと、死体を雪山からほり起こしてあたたかい部屋に上げることがイコールなのだ。……どういうことだろうか？　考えてみると、ある図式が見える。

死体＝亜美ちゃん

雪山＝結婚していない現状にとどめようとする

あたたかい部屋＝結婚することを祝福する（＝不良と夫婦になる不幸な道）

……えっ、なんで亜美ちゃん、自分のことを「死体」として表現してんの⁉ と、読者としてはツッコミを入れたくなる。誰からも愛されて、人気者の亜美ちゃんは、自分のことを死体だと思っている。なぜ？ もう少し物語を進めると、見えてくる。

亜美の婚約者である崇志とさかきちゃんが会ったとき、さかきちゃんは「亜美のことが好きですか」と尋ねる。すると崇志は、「好きじゃない」と答える。

崇志は、亜美ちゃんを美人とは思わず、「カエルみたいに見える」と言う。とくべつ好きなわけじゃない。……この回答を聞いたさかきちゃんは、理解する。

この小説の大きな問いの答えだ。【なぜ、亜美ちゃんは不良の崇志のことを、好きになるのか？】。それは、崇志が亜美ちゃんのことを好きじゃないから、亜美ちゃんは崇志のことを好きなのだ、と。

亜美を愛していない崇志さんしか、亜美の心にぽっかり空いている部分は埋められない。亜美は誰からも愛されるという究極のさびしさを知ってしまっている。亜美を愛するたくさんの人たちは、少なからず彼女に幻想を見ている。こうあってほしい、さすが亜美ちゃん、それでこそ亜美。みんな口々にそう言って、彼女の美しさや素直さを愛でて安心してきた。彼女は無意識のうちにその期待にこたえて息苦しくなっていった。あんなに自由そうに見える彼女が、これほどの窮屈さを世界に対して抱えていたとは。自分を囲う見えない檻から抜け出すために、彼女は自分の世界の外側にいる人を選んだ。つまり、自分を見つめる人ではなく、自分が見つめられる人を。

強い渇望、手に入れたい欲望。他人のそんな感情に、亜美はずっとさらされてきた。男女問わず、彼女はいつでも求められ、誰もが会いたがり、誰にとっても特別な存在だった。私はただ羨んでいて気づかなかった。反面、亜美がどれだけの孤独を抱えていたかを。

（同書）

亜美ちゃんは、誰からも愛されているが、期待（幻想の亜美ちゃんならこうする、という予測）に応えることでしか喜ばれない。だからこそ彼女は、自分の意志で動くことができなかった。

それは自分で動けない死体も同然だ。
しかし、自分のことを愛していない人のそばならば、自分がしたいことをそのまま相手にできる。なぜなら、はじめから求められないから。
だから自分を愛さない崇志のことは、自分から愛することができる。求められていない愛を、自分からぶつけることができるのだ。

そしてさかきちゃんはこの時、亜美ちゃんがさかきちゃんのことを好きなのも同じ理由だ、と理解する。高校の時から「なぜ亜美ちゃんは、冴えない自分と仲良くしようとするんだろう?」とさかきちゃんは思い続けてきた。しかし、本当は、冴えなくて自分のことをたいして好きじゃないさかきちゃんだったからこそ、亜美ちゃんは仲良くしたかったのだ。さかきちゃんは亜美ちゃんのことを好きじゃないから、亜美ちゃんはさかきちゃんのことを好きなのだ。

作中、さかきちゃんがこんな台詞を述べる。

亜美に無関心の崇志さんのまなざしの温度と、高校生のときの私が亜美を見つめていたまなざしの温度は、きっと同じくらい冷めている。

（同書）

「冷めている」まなざしを浴びてはじめて、自分から「あたたかい」まなざしを向けることができる、亜美ちゃん。雪山にいた自分をあたたかい場所に連れ出してくれる存在は、やっぱりさかきちゃんなのだ。雪山で冷たい死体となっていた亜美ちゃんが、自分からあたたかいまなざしを向けられるのは、つめたいまなざしを向けてくれるさかきちゃんだけだったから。

作中に描かれているさかきちゃんの孤独は、期待されない（誰からも見られていない）ことだった。つまり、自分は人に愛されないのではないかという孤独だ。

しかし一方で、亜美ちゃんも孤独だった。期待される（応えることでしか喜ばれない）ことばっかりで、自分から人を愛せないのではないかという孤独。

ふたりの孤独の物語として、「亜美ちゃんは美人」という小説は読むことができる。

どっちがより孤独なんだろう？　――ぜひ小説を読んでみてほしい。

読んだふりにしないコツ

1
「なんでこんな台詞・エピソード・人物描写が入ってるの？」と疑問を持ってしまう、不思議ポイントを見つける（できるだけ細かく！）

2
その小さな問いを解く（直接、答えが書かれているわけではないが、ヒントになる場所を見つける）

3
作品について誰もが抱く大きな問いを解く

お父さんが心配するのは、オドラデク、家に住み着いた星のこと。

読む技術：小さな問いから、大きな問いへ結びつける（応用編）

読む小説：「お父さんは心配なんだよ」

「お父さんは心配なんだよ」
『カフカ ポケットマスターピース01』所収、カフカ著、多和田葉子訳、集英社、2015年

とても短い小説。家にオドラデクというものが住み着いている。かたちは星のようなもので、勝手に動き回っている。しかし家主には、ひとつだけ気がかりなことがあった。

「お父さんは心配なんだよ」

今回は、カフカの「お父さんは心配なんだよ」を読んでみたい。

使う技術は、前回の綿矢りさ「亜美ちゃんは美人」で使ったものと同じ、
小さい問い↓大きい問い
の順番で小説を読むやつである。応用編だ。

この技術、海外の小説を読むときにありがちな、「なんかよく分からないメタファーとか出てきて、よく分からないうちに終わってしまう話」を読むときに最適なので、使えるようになると、小説の面白さ、倍増！　だと私は思う。「なんかよーく分からん」小説を読んでる時間、ものすごく文学に対して虚無感覚えちゃうけど、そんな時に使ってほしい技術。

カフカの「お父さんは心配なんだよ」、実はものすごおく短い小説で、2、3ページで終わる。

なので、ぜひ地元の図書館とか学校の図書館で見つけたら、そのままさくっと読んでほしい。ほんっとに短いから！（ちなみに文庫本の『カフカ ポケットマスターピース01（集英

社文庫ヘリテージシリーズ）』に多和田葉子さんの翻訳で入っています）。

どんな話かというと、謎の生物（？）「オドラデク」が、家に住み着いている。いちおう喋ることはできて、「名前は？」と聞くと「オドラデク」と答えるし、「どこに住んでるの？」と聞くと「住所不定」と返ってくる。

こいつはこれからどうなるんだろうと考えたりもするけれど、考えたって無駄だなと思う。でも、私が死んだ後もこいつは生き続けるんだと思うと、それだけで心が、痛む。

……これだけの話だ。

とりあえずそれは、ひらたい星形の糸巻きみたいな形をしていて、実際、糸が巻いてあるようだ。と言っても、その糸は切れた古い糸で、だんごみたいな結び目ができていて、種類も色もまちまちの糸がフェルト状に縒り合わせてある。でもそいつは糸巻きであるだけでなく、星の真ん中から棒が垂直に出ていて、そこからまた直角に棒が出ている。その棒と星のぎざぎざを二本の脚にして立っている。

これがオドラデクの見た目だ。日本でいえば、某ジブリアニメに登場する、まっくろくろすけみたいなものだろうか。考えるけれど、いまいち想像ができない。

さて、この小説。まずは〈小さな問い〉と〈大きな問い〉を設定してみる。

〈大きな問い〉は、かんたんだろう。誰もが思う疑問。

「オドラデクって、なに？」

妖精とか生き物とかそういう回答よりも、カフカは、オドラデクを何かの比喩として書いたのだろうか？　もし比喩だとしたら、いったい何の比喩……？　といった疑問である。あきらかになにかのメタファーな感じはするけど、しかし何かよく分からない。

さて次は〈小さな問い〉。こちらは、小説最後の文章に対する違和感を持ってきたい。

「でも、私の死後もこいつは生き続けるんだと思うとそれだけでなんだか心が痛む。」

この一文、いったい、どういう意味なんだろうか？　ちょっとこの〈小さな問い〉

をとっかかりにして、〈大きな問い〉つまりはオドラデクの正体を考えてみたい。

ちなみにタイトルの「お父さん」。原文だとHausvatersといって、「世帯主」「主人」「家主」と訳せるので注意が必要だ。ほかの版では『家父の気がかり』『家のあるじとして気になること』『家長の心配』等と訳されている。つまり、オドラデクがいる家の主としてちょっと気になること、みたいなニュアンスのタイトルらしい。翻訳によってこのあたりのニュアンスってけっこう変わってくる。

さてそれでは、まずは小さな問いから考えたい。「でも、私の死後もこいつは生き続けるんだと思うとそれだけでなんだか心が痛む」という一文の意味。

なぜ主人公の心が痛むのかは分からないけれど。ひとつたしかなのは、主人公はよく分からない謎の生物「オドラデク」が、自分の死後も生き続けることは確信している、ってこと。

オドラデクは、「誰に害を与えることもない」と言われている。ただ足下をコロコロところがっていくだけだ。生きる目的とか、そういうものも存在しないっぽい。

しかしオドラデクが自分の死後も生き続けることは、なんだか心が痛くなることらしい。

……分からない。なぞなぞみたいになってきた。

ここで小説内で書かれているオドラデクの特徴を羅列してみる。

- 何かが取れた跡とか壊れている箇所はなく、形が無意味だが、それなりに完成している
- 動きがすばやくて、捕らえようがない
- 家の中で、さまざまな場所に出てくる
- 何か月も姿をあらわさないこともある（別の家？）が、また戻ってくる
- 帰って来るとつい話しかける
- 体が小さいので、つい子ども扱いしたくなる
- 笑っても肺を使わない
- 長いこと口をきかないときもある
- 死ぬことがあるかは不明だが、生きてるあいだに目的や活動があるわけじゃない
- 私の子どもや孫の足下を、糸を背後に残しつつコロコロ転がってくこともある

・誰かに害を与えることはない

・死後も生き続けるが、でもそれは心が痛いことだ

あなたもちょっと考えてみてほしい。オドラデクって、なんだと思いますか？

あなたが考えているあいだに、カフカの研究者たちは、オドラデクを何だと解釈したのかをご紹介してみたい。

①カフカの書いていた小説たち

これはなんとなく「あー、分かる……」と頷（うなず）きたくなる説だ。意味がない。目的などない。だけど完成している。カフカの小説っぽい。

しかも、最後の一文「自分の死後も生き続けるのかと思うと、心が痛む」の意味がすっきり分かる！　カフカの死後も残る作品たちのことは、そりゃ気がかりだろう。なんだか納得できる説である。

②自分自身の分身

カフカにとって、大人になりきれない自分が、オドラデクだった。ひいては子どものことじゃないか？　なんてことも言われていた。まあ、タイトルの意味を最大限ひっぱってくると、そうなのかも。

③自分の記憶たち

②ともちょっとつながる話だけど、いろんな古い記憶をごちゃごちゃとよりあわせた集合体として、「糸が巻いてある」見た目になったのだ、という説。これもなんだか文学的で、納得できる。ふっと自分の記憶がよみがえることってあるし。ただ個人的には、最後の一文「自分が死んだあと」の意味が通るかなあと疑問。写真とか日記のような、思い出を残す媒体って考えるといいのかな。

さて、あなたの解釈は定まりましたか。ぜひ聞いてみたいものだけど、あいにくここは一方通行の本なので、私の解釈をお伝えしたい。

私が考えたのは、「オドラデク＝人の孤独そのもの」という説！　どうだあ。

単体で立てなくてぐらぐらしてるけれど、何か支えになる棒のようなものがあってはじめて立っている。……なんとなく、孤独な人間っぽく感じませんか？

家の中のどこにでも現れるし、数か月現れないこともあるが、やっぱりどこかで帰ってくる（寂しい気持ちってそんな感じで現れるように思う）。

古くからのぐるぐるした記憶を巻きつけている！

目的や活動はないし何のためにあるわけじゃないけど、それだけで完成している。笑っても中身が空洞だから肺を使わないし、誰かに害を与えるわけではない。

しかし子どもや孫（つまりは自分より下の世代）の足下にも転がってくし、いつかなくなることはあるのかは分からない。孤独はずっと人間に受け継がれていく。

お父さん（＝孤独の家主）は心配なのだ、この先もみんなずっと孤独なのかって……。

どうでしょうか。オドラデクは、人間の孤独とか寂しさそのもの、説。

この解釈だと、個人的には「こいつは誰に害を与えることもない。でも、私の死後もこいつは生き続けるんだと思うとそれだけでなんだか心が痛む」という一文が、なんだかぐっとくるんですよ。自分は死んだら、寂しさから解放される。だけど寂しさはずっと受け継がれてゆく。それから解放される人はいない。
……カフカっぽくなりませんか。ならないかな。

あなたの解釈も、どんなものか聞かせてほしい。「お父さんは心配なんだよ」、解釈して楽しむにはもってこいの文学作品だと思う。

読んだふりにしないコツ

1 細かい不思議ポイントを見つける
2 小さな問いを解く
3 大きな問いを解く

ある日、眠れなくなった。村上春樹の孤独についての小説。

読む技術：妄想をひろげる

読む小説：「眠り」

「眠り」
『TVピープル』所収、村上春樹著、文藝春秋、1993年

眠れなくなって何日もになる。歯科医の夫をもつ主婦は、ある日悪夢を見てから、眠れなくなる。しかし不調はなにもなく、むしろ体は若返っているように感じる。夫や子どもとの関係も変わらない。このまま眠らないからだになるのだろうか？

妄想力。が、あればあるほど、小説を読むのは楽しい。

小説を書くのにも妄想力は必要だろうけど、小説を読むのにもぜったい、妄想力は、必要だ。と私は思う。

ちょっとした細部の描写から、大きな妄想をふくらませる。そうすることで、小説が、「自分のもの」になる。

小説は作者の脳みそから本に移管されたとき、たんにこの世に生まれただけ、というか作者のものだ。作者の脳みそから生まれた、ただの物語だ。

だけど、私たち読者がその物語を読むことで、姿はかんたんに変わる。

読む、って結局、なにをしているんだろ？　ってたまに考えるけど。物語の展開をただ情報として取り入れるだけじゃない。物語に反射した自分を見つめたり、その物語のとくに気になる箇所を拡げたりすることによって、ちがう物語に変形させている。物語を読むとき、私たちは、同時に、なにか別のもの――自分でつくった物語、を読んでいるのかもしれない。

だからこそ、ある意味、同じ小説を読んでも、人によって抱く印象もちがえば、気になる場面も人物も異なる。「えっ、ほんとに同じ小説読んだ？」ってくらい感想がちがうこともある。

だから面白い。小説を読むことは。

結局みんな、小説を通して、自分の物語を読んでいる。

必ずただしい読解なんて存在しない（まちがった読解はあると思うけど）。

そこにあるのは、自分にとっていちばん面白い読解、だけだ。

自分にとっていちばん面白い読解を最大限可能にするのは、やっぱり、その小説の細部から解釈を妄想することだと私は思う。

今回は村上春樹さんの短編「眠り」という小説を使って、最大限妄想する方法を伝えてみたい。

眠れなくなってもう十七日めになる。

私は不眠症のことを言っているわけではない。

（「眠り」）

あの小説を誰よりも楽しく読む方法

「眠り」

「眠り」は、ある主婦が、眠れなくなった日々の話だ。短編小説なんだけど、なぜか異様に好きで、折に触れて読み返している。

主婦の「私」は、ある悪夢を見てから、17日間、一睡もしていなかった。そして夫と子どもはそのことにまったく気づいていなかった。眠れない日々を『アンナ・カレーニナ』の読書に耽（ふけ）ったりチョコレートを食べたりして過ごすが、少しずつ夫や息子への嫌悪感を抱くようになっていった……。

ここでは、彼女にとって「眠れない」のは、なぜなのだろう？　という問いについて妄想してみたいと思う。

答えは小説のなかに書かれていない。だからどれだけ答えを考えても、妄想の範囲を出ない。最大限、妄想してみたい。

さて、日常にさほど不満もなく、たんたんと日々を過ごす、わりと恵まれた主婦の「私」。作中で彼女は眠れなくなるのだが、しかしそれによって不利益をこうむっているわけではないのだ。日中眠くなることもなく、むしろ、身体がちょっと若返っているような気さえする。ただ、眠れないだけ。

しかし彼女の精神はちょっとずつ変わっていく。彼女は眠れなくなってから、今まで疑問を持たずにいた家事労働や息子の世話、夫とのセックスといった家父長制の家族における「妻」「母」の役割を、「頭と肉体のコネクションを切」っておこなうようになる。

私は義務として買い物をし、料理を作り、掃除をし、子供の相手をした。義務として夫とセックスをした。慣れてしまえば、それは決して難しいことではなかった。それはむしろ簡単なことだった。頭と肉体のコネクションを切ればいいだけなのだ。私の体が勝手に動いているあいだ、私の頭は私自身の空間を漂っていた。私は何も考えずに家事を片付けた。子供におやつを与え、夫と世間話をした。

（同書）

『アンナ・カレーニナ』という不倫をする女性の小説を読み、夫について「これから先、間違いなくもっと醜くなっていくだろう。そして私はそれに耐えていかなくてはならないのだ。私は溜め息をついた」（同書）と言う。

そう、仲がいいはずの夫婦関係なんだけど、話が進むにつれ、実は彼女が夫に対してひそかな嫌悪感を抱いていることが分かる。たとえば彼女は夫の寝顔を見るのが好きだったのに、ある時からやめてしまったな、と気づく場面。

> 結婚した頃はよく寝顔を眺めたものだった。眺めているだけで、ほっとした平和な気分になれた。この人がこうして平和に眠っているかぎり、私は無事に守られている、と私は思ったものだった。（中略）
>
> でもいつからか、私はそんなことをするのをやめてしまった。いつからだっけ？（中略）たぶん子供の名前をつけることで、私と夫の母親がいさかいのようなものをした時からだったと思う。夫の母親は宗教みたいなのに凝っていて、そこで名前を「いただいて」きたのだ。どんな名前だったかは忘れたが、でもとにかく私はそんなものを「いただく」気はなかった。それで私と姑はかなり激しく言い合いをした。でも夫はそれに対して何も言えなかった。ただ隣で私たちをな

だめているだけだった。
私はその時に、夫から守られているという実感をなくしてしまったのだ。そう、夫は私を守ってはくれなかった。それで私はとても腹を立てたのだ。もちろんそれは昔の話だし、私と姑は仲直りをした。息子の名前は私が自分でつけた。私と夫もすぐに仲直りした。
でもその頃から何となく、私は夫の寝顔を眺めるのをやめてしまったのだと思う。

（同書）

「母親とのいさかいから、夫の寝顔を見なくなる」ってものすごおくクリティカルに夫婦の関係性が（妻のほうから、一方的に）冷めている証だよなー……と私はこのエピソードを読んだときに感心してしまった。寝顔を見なくなるって。もうすっかり冷めてんじゃん、奥さん。

そして彼女は考え始める。私にとって、眠りとはいったい何なのか？　と。眠りがなくなった人生とは、いったい、どういうものなんだろう？　と。彼女は図書館で眠りについて調べるようになる。

ある本に面白いことが書いてあった。人間というのは思考においても肉体の行動においても、一定の個人的傾向から逃れることはできないと、その著者は書いていた。人というものは知らず知らずのうちに自分の行動・思考の傾向を作り上げてしまうものだし、一度作り上げられたそのような傾向はよほどのことがないかぎり二度と消えない。つまり人はそのような傾向の檻（おり）に閉じ込められて生きているわけだ。そして眠りこそがそのような傾向のかたよりを——靴のかかとの片減りのようなものだと著者は書いていた——中和するのである。つまり眠りがそのかたよりを調整し、治癒するのだ。

（中略）

傾向？　と私は思った。

傾向という言葉から私が思いつけるのは家事のことだった。私が無感動に機械的につづけている様々な家事作業。料理や買い物や洗濯や育児、それらはまさに傾向以外の何ものでもなかった。（中略）そのようにして、私は靴の踵が片減りするように傾向的に消費されていき、それを調整しクールダウンするために日々の眠りが必要とされるのだ。

（同書）

彼女は、自分にとって「家事」（＝消費される作業）を続けるためにおこなわれる行為が、「眠り」だったのだ、と感じる。

家事とはたんなる作業でしかない。自分が消費されるだけの、無機械な作業。その家事をつづけるためには、ある種のクールダウン、調整役としての眠りが必要だった。だから私は今まで眠っていた。そうだとすると、自分の人生とはいったいなんだったのか、と彼女は考え始める。

じゃあ、私の人生というものはいったい何なのだ？　私は傾向的に消費され、それを治癒するために眠る。私の人生はそれの繰り返しに過ぎないいんじゃないか？　どこにも行かないいんじゃないか？

私は図書館の机に向かって首を振った。

眠りなんか必要ない、と私は思った。もし仮に発狂するとしても、眠れないことで私がその生命的「存在基盤」を失うとしても、それでもいい、と私は思った。構わない。私はとにかく傾向的に消費なんかされたくない。


（同書）


妄想をふくらませてみると、彼女にとって「眠れなくなった」とは、今まで順応してきた（眠ってきた）自分の主婦生活への疑問を持つようになってしまった、ということなのではないか。

今まで家にいて、夫と子どもの世話をして、家事をしてきたけれど。それは眠っていた私だ。消費され、眠っていた自分。しかしある日、眠れなくなったのだ。

そうなってはじめて思う。「私には眠りなんか必要ない」、と。

ちょっと面白いのが、眠れなくなってから夜にドライブに出かける場面があるのだけど、そこで「男の子みたいな恰好」をすることだ（ぜひ小説を読んで確かめてみてほしい）。

もちろん防犯のためだと考えることもできるけれど、わざわざ男の子の格好をして深夜のドライブをしたと強調するのは、なぜなんだろう。

重要なのは、彼女がドライブしながら、長距離トラックを見て思った台詞だ。

「私なら昼夜働けるのに、と私は思う。私には眠る必要がないのだから」

……ここから妄想できるのは何か？　そう、本当は、彼女は眠らなければ、昼夜外で働ける。家事で消費されることがなければ、本当は、車に乗って、どこにでもいける。――だけど現実は、できない。なぜなら、眠っているから。

彼女は昼夜外で働くことができなかった。家の中で、眠っていたから。

そして今、私は、眠らない。だから男の格好をしてドライブをすることができる。

……こう考えていくと、「眠り」という小説は、80年代に発表されていたけれど、今でいうフェミニズム的な考え方が反映された小説だったのかもしれない、と思えてくる。

いや、ぜんぶ私の妄想だけど。作者が何を思って書いたのかは分からないけど、フェミニズム的視点でじゅうぶん読める話だと思う。家事をして暮らす日々に、満足しているようで、実は自分が「眠っている」ように感じる主婦の物語。そして「眠らなくなった」彼女は、自分で運転をし続ける。

眠らない彼女の物語は、ラストシーン、運転している車の中で「これ以上、どこにも行けない」と泣いて終わることになる。私はこのラストシーンの文章が本当に好きだ。ぜひ小説を読んでほしいんだけど、彼女は、ある男たちに、ドライブ用の車を、がんがん揺さぶられることになる。彼女は恐怖を感じる。そして車を発車させようと思うのに、できない。「私はどこにも行けない」と泣いてしまう。

私はこの結末がどうしても、彼女が「眠らない」選択をした結果に見えてしまう。眠らずにひとりでドライブしても、最終的には男たちに「ゆさぶられるしかない」主人公。ここを読むと、私は、胸に迫って、いつも泣けてきてしまう。

女性が外に出ていくことも、家で守られることも、結局、どちらにたどりついても、どこにもゆくことなんてできないんじゃないだろうか？　――「眠り」という小説に込められた、そんなメタファーの意味を妄想してしまう。

どこまで行っても、車を揺さぶられて、結局ひとりで泣くしかないのかもしれない。そんな孤独を書いてる小説。「眠り」はそれを書いているとしか思えないのだ。私が妄想した結果では。

何度も言うように、ぜんぶ小説から勝手に妄想した物語だ。

ふつうに読んだら、ただ「女性が眠れなくなった」だけの話だろう。だけど私は、その先にある、小説が発表された80年代から今に至る、たくさんの女性の車に閉じこもった様子が、見えるような気がしてならない。

いや、ぜんぶ妄想なんだけど。

読んだふりにしないコツ

1 小説の気になる部分をチェック

2 そこから自由に妄想をひろげる

3 自分だけの物語をつくってみる

恋とか愛とかなつかしさとか、俵万智の短歌を読むといつもちょっといい女の子になった気になる。

読む技術：小説のように短歌を楽しむ

読む小説：『サラダ記念日』

『サラダ記念日』
俵万智著、河出書房新社、1987年

歌人・俵万智によるデビュー歌集。タイトルにある「サラダ記念日」の歌も、「缶チューハイ」の歌も収録されている。

あの小説を誰よりも楽しく読む方法

『サラダ記念日』

本書は基本的に「小説を楽しむ」ための本なんだけど、今回は「短歌」の楽しみ方を紹介していきたい。番外編だと思ってもらえれば幸いだ。

……なんてことを言ってしまっては、「短歌」を本当に好む人からは、「はあ!?」と眉をひそめられそうだけど!

短歌というと、たとえば国語の教科書でも、「小説」や「随筆」の分量と比較すると、「短歌」のページはちょっとページ数が少なかったりする。まあ扱う文字の分量がちがうんだから、と言われそうだけど、それでもその差は一目瞭然。

だけど、考えてみてほしい。日本の文学って、「小説」よりも、実は「歌」のほうがよっぽど歴史が長い。小説が始まったのが明治時代とすれば、和歌が今の形になったのは奈良時代。千年以上の差がそこにはある。

だとしたら。私たちがいま、小説で満たしている欲求——たとえば物語を読みたいとか、いいなあと思う文学的感性（なんてものがこの世にあるかどうかは謎だけど、まあ、世に言われる情緒とか感性とか、そういうものを文学的感性としておきましょう）を文章で表現してもらい、それに共感したいとか——を、昔の人々は、和歌で満たしていたんじゃないか?

結局、表現される媒体が変わるだけであって、私たちの欲求や表現したい内容そのものは、そんなに時代によって変化しないいんじゃないかなあ。

前置きが長くなったけれど、私は、短歌というものを楽しむとき、ほとんど小説と同じ楽しみ方をしていると思う。

ちょっとチューニングを短歌用に合わせる（というとかっこいい言い方だけど、まあなんか読むときの感性のモードを短歌用に合わせることだ）だけで、結局、楽しみたいそこにある内容は小説と変わらないはず。ここでは、小説を読むように短歌を楽しむ素人的短歌の楽しみ方をお伝えしたい。

やみくもに我を愛する人もいて似ても似つかぬ我を愛する

（『サラダ記念日』）

たとえば俵万智による1987年のベストセラー『サラダ記念日』に収録された、この短歌。ぱっと見、なんとなく意味が分かるような気がする。「我」のことを、やみくもに愛してくれる誰かがいる、と。
だけどよく読むと、「うん？」と首をひねってしまうのが、下の句。
「似ても似つかぬ我を愛する」。——「我」と似ても似つかないのは、誰なのか？
さらに誰かと似ても似つかぬ我を愛してくれるのは、いったい誰なのか？ ぱっと読んだだけでは、疑問符がいくつも浮かんでしまう。

ここでちょっと興味を惹かれる。あれ、この短歌って、何を言おうとしてるんだっけ？ と。

この瞬間からおこなわれる行為を、歌人の穂村弘は「解凍」と呼んでいた。[i] 私はこの「解凍」という呼び名が、ものすごくしっくり来ている。

そう、短歌を読むときには、「解凍」の時間が必要なのだ。

57577のリズムに合わせた31文字に、ぎゅっと凍結された感情や瞬間や風景を、私たちは「読む」という行為をとおして、あたためて、溶かす。そしてそこにぎゅっと閉じ込められたものを、ふわっともとの姿に戻す。それが短歌を読む（詠むんじゃなくてね）ってことなのだ……と穂村弘は説明する。

私も、短歌を読むときは、「解凍」の瞬間の、頭を使える瞬間こそが快楽だと思っている。小説を読むときにも、たとえば作者が使っている比喩とか、どういうことを言おうとしている小説なのか？　とか考えると「解凍」を楽しむことができるけれど、たいていの小説は、物語を追うだけで、解凍の瞬間を待たずに読み終えてしまう。だけど短歌なら、この「解凍」の瞬間を何度だって体験することができる！　のだ！　なんとなく意味の分からない羅列だった言葉が、必然性のある、そこにあるしかない言葉だと分かる瞬間。それを自分の手で解凍して溶かして味わうことは、かなり快楽的だと私は思う。

俵万智にもどろう。「似ても似つかぬ我を愛してくれる」のは誰か？　ここから先は私の解釈になるけれど、おそらく我を愛してくれるのは、「やみくも」に愛してくれている相手だろう。

愛してくれる相手が女性だと考えることもできるけれど、前後の短歌の文脈をとると、おそらくここで愛してくれる相手は男性じゃないかと考えられる。ひとまず「彼」と呼ぶことにしよう。

彼は我のことをやみくもに愛してくれるけれど、一方で、彼が愛している我は「似ても似つかぬ」我である。……ここまで読み解くとなんとなくたどりつく解釈が、我と似ても似つかないのは、我だろう、ということ。

なんだか禅問答みたいな文章になってきたけれど、でも、恋愛の風景を思い出すと、誰もがちょっとだけ分かる話。

本当の私、なんて言うと青臭くなるけど、自分が自分だと思っている自己像というのは誰しも持っている。だけどめちゃくちゃ自分のことを好きになってくれる人は、たいてい、自分の自己像からちょっと離れた自分を愛している……。

「ええ、そんな人間だっけ？　私？」と苦笑してしまいそうになる私を、彼は愛してくれている。そんな風景を、俵万智は、「（自分が思う自分とは）似ても似つかぬ我を愛する」と下の句で描写したのだろう。

さらにここまで考えて、面白いなあ、と感じるのは、「やみくもに我を愛する人もいて似ても似つかぬ我を愛する」という短歌に込められた『も』の意味だ。

この短歌、正直「やみくもに我を愛する人『**が**』いて似ても似つかぬ我を愛する」

でもいいと思う。だけど、どうして我を愛する人『も』いる、と書いたのだろう？

それはもちろん、我を愛する人以外の相手がいるからだ。つまり、我**が**愛している人——我**を**愛してくれる人とはべつに——がそこにいる。おそらく我**が**愛している人は、我**を**（少なくとも我が思うのと同じくらい）愛してくれていてはいないだろう。もしかしたら付き合っているのかもしれないけれど、こっちが好きな分と同じくらい、相手が私を好きなわけじゃないだろうなあ、と思えてしまうのかもしれない。

だけどそんな彼とはべつに、我のことをちゃんとやみくもに愛してくれる人**も**いるのだ。ちゃんと。でも、彼が愛している私とは、現実の私とは似ても似つかない、幻想のなかの私なのだろう。だって、幻想のなかの私じゃないと、そんだけやみくもに愛するなんてありえないじゃない。——自分がそれはいちばんよく知っている。なぜなら、自分もまた、他の誰かをやみくもに愛しているから。

……ここまで妄想を広げてしまうと「やりすぎだよ！」と言われてしまうかもしれないけれど、それでも、俵万智はここまで射程を広げて詠んだ歌だと私は思う。俵万智という歌人は、彼女の歌を読んでいると、がっつり「愛されるよりも愛したい」派の人なんじゃないかな～と勝手に思えてしまう人なので、まあ、やみくもに愛されたとしても、ちょっと冷めた目で相手のことを見つつ「自分もやみくもに愛してるときは、こういう、『似ても似つかない』相手を愛しているんだろうな……」とか思ってそうだな、と妄想してしまう。

短歌の面白さ。それは、「よく分からない意味を解凍する快楽」と、「31文字のなかで目いっぱい遊んだ、字と音のあそび」だと思う。

今回取り上げた短歌以外にも、俵万智はこんな短歌を詠んでいる。

ナイターの風に吹かれている君のグレープフルーツいろの横顔

（同書）

ん？　グレープフルーツ？　と一瞬戸惑うが、ナイターのライトに照らされた色のことだとすぐ分かるだろう（これが解凍するってことです）。「ナイター」とか「グレープフルーツ」とか伸ばした音の多いカタカナによって、ちょっとさわやかな感じも出ている。伸ばした音って、ちょっと間延びした感じもあって、なんか能天気にさわやかに聞こえるんだよね。

さらにグレープフルーツいろが「グレープフルーツ色」ではだめだ。

ナイターの風に吹かれている君のグレープフルーツいろの横顔
ナイターの風に吹かれている君のグレープフルーツ色の横顔

色を「しょく」って読まれないようにするための配慮でもあるんだろうけれど、「いろ」がひらがなにひらかれていることで、「横顔」という文字が目立つようにしている。ね、前者のほうが「横顔」って文字に目が行くでしょう？

これが「ナイターの風に吹かれている君のグレープフルーツ色の顔色」とかでもだめなわけですよ。グレープフルーツみたいな色にひかるのは、私の目からは見えているけれど、私のことは見ていない（たぶん試合を見ている）横顔なのだ。

こっちのことを見ていないから、なおさらさわやかな一場面になり得るんだろうし。

こんなふうに、短歌は意味を解凍しつつ、そのうえで字や音が「だからそういうことばを使う必然性があるのか！」と理解することができる。短歌は面白い。小説みたいに、比喩を楽しみつつ、もっと妄想をひろげて、自分の解釈を楽しむことができる。

i　『短歌の友人』（穂村弘著、河出書房新社、2011年）

読んだふりにしないコツ

（1）「ん？」と立ち止まった言葉にこめられた意味を考える

（2）なぜその音、表記で書かれたのか考えてみる

紫式部が描いた女を、千年以上私たちは読んできた。

読む技術：古典は解説書をたくさん読んでみる

読む小説：『源氏物語』

『源氏物語』
紫式部著

時は平安時代。桐壺帝はとある身分の高くない女性を深く愛していた。その寵愛っぷりに周囲の人は嫉妬してしまう。体の強くない彼女が産んだ子どもは、とても美しい男の子で、彼がのちの光源氏なのだった。

あの小説を誰よりも楽しく読む方法

『源氏物語』

――源氏物語、枕草子、万葉集、古今和歌集。

「大学院で日本古典文学について勉強していました」と言うと、古典作品ってどこがオモシロイんですか、とたまに聞かれる。

むしろ、どこがオモシロイところだと思いますか？　そう聞けばどんな答えが返ってくるのだろう。テキストの重厚さ。昔の人の思考を知ることができること。教養として使うことができる。日本の伝統を理解できる。……どれもそれっぽい言説ではあるが、しかし実際のところ、古典のオモシロイ部分の5割も説明できていない。と私は思う。

思うに、古典は、解釈合戦を見ることができるから、オモシロイのだ。

古典は、自分で読んでみて楽しむのが半分。その後にいろんな人の解釈を読んでさらにその倍楽しめる。古典を読むこともまあ楽しいけど、それはまだ50％くらいの味わい。鰻（うなぎ）をタレごとごはんの上に乗せて食べていないようなものだよ！

とくに文学作品の古典と言えば、古くは平安時代から江戸時代そして現代にわたり、ずうっと研究者や愛好家が解釈に解釈を重ねてきた分野である。そりゃ、その解釈を味わわないと面白さなんて分からない。

作品そのものが曲だとすれば、解釈する読み手は演奏家。

もちろんモーツァルトの曲を、実際に自分が弾いてみて楽しむのもいいんだけど。一流のピアニストたちが、これまでモーツァルトをどんなふうに弾いてきたのか。それを聴いて「いいなあ、モーツァルトって」とうっとりするのもけっこう楽しいもんである。というか、ぶっちゃけ私は後者のほうが好きだ。だって自分の弾く技術なんて限られている。それよりは、いろんなピアニストたちの演奏を聴きたい。そのうえでモーツァルトを理解したい。

今回用意した曲は、『源氏物語』だ。

小説の読み方をお伝えする本書だけど、まあ引き続き番外編ということで、「古典の読み方」についてお伝えしたい。ま、ようは「いろんな解釈を楽しんでみよう！」って話なんですけどね。実際に具体例を使ってお伝えしてみる。

『源氏物語』

いづれの御時にか、女御、更衣あまた候ひ給ひける中に、いとやむごとなき際にはあらぬが、すぐれて時めき給ふありけり。
はじめより我はと思ひ上がり給へる御方方、めざましきものにおとしめ嫉み給ふ。同じほど、それより下臈の更衣たちは、まして安からず。

どの天皇様の御代であったか、女御とか更衣とかいわれる後宮がおおぜいいた中に、最上の貴族出身ではないが深い御愛寵を得ている人があった。
最初から自分こそはという自信と、親兄弟の勢力に恃む所があって宮中にはいった女御たちからは失敬な女としてねたまれた。その人と同等、もしくはそれより地位の低い更衣たちはまして嫉妬の焔を燃やさないわけもなかった。

（『全訳 源氏物語』与謝野晶子訳、KADOKAWA、2008年）

源氏物語のいちばん有名な書き出し。古典の授業で音読した方も多いんじゃないだろうか。「いづれの御時にか」というのは、どの時代の天皇と特定しているわけではなく、架空の人物であると示しているんですよ、とか教わったかもしれない。
源氏物語は桐壺更衣という、愛されているわりに不遇な、というか愛されすぎて周りから嫉妬され体も弱くなってしまった女性のエピソードから始まる。彼女は身分が高くない。しかしそれなのに帝（みかど）の寵愛を一心にうけるもんだから、周りは嫉妬した……という話。

これだけ読むと、「ふうん、宮中ってやっぱり嫉妬でどろどろしてたんだなー。これで病気になっちゃうなんて、この女性も女性で温室育ちっちゅーか、けっこう弱いなー」くらいの感想しか浮かばないかもしれない（ちなみにこれは私が源氏物語をはじめて読んだときの感想である）。世界的に有名な古典『源氏物語』は、嫉妬の場面で始まる。

が、本書でも短歌の章で紹介した『サラダ記念日』作者の俵万智さんがこのエピソードを解釈すると、ちょっと面白い視点をくれる。ちなみに俵さんは国語教師をしていた経歴もあり、和歌の出てくる古典作品については現代語訳を刊行していたり解説をおこなっていたりする。彼女の古典解説、私はとても好きなのだ。

「いづれの御時にか、女御、更衣あまたさぶらひたまひける中に、いとやむごとなき際にはあらぬが、すぐれて時めきたまふありけり」という冒頭の一節は、あまりにも有名だ。多くの女性が帝にお仕えしているなかで、最高の身分というわけではないのに、とびきりの寵愛をうけているひとがいた……いきなり、波瀾が予想される幕開けである。

そして、この一文に続いて付け加えられる一言、ふた言に、私はどきっとさせられる。

はじめから、私こそはと思っていた女性たちは、目ざわりな女だと憎み蔑む。これは、分かる。更衣より身分の高い女性たちは、私のほうこそ大切にされてしかるべきなのに、と心外なわけである。

が、続く次の一文。「同じほど、それより下臈の更衣たちはましてやすからず」――同じくらいの身分や、それより下の女性たちは、身分の高いひとたち以上に、気持ちがおさまらない、という。

はじめ読んだときには「なんで？」と思った。だってあなたたちは、最初からそういう立場でしょ。更衣より身分が下なんだから、当時の常識からすれば、寵愛が彼女より少なくても当然なわけである。本来、多くの寵愛を受けてしかるべきひとたちが、文句を言うのはしかたがない。が、本来そうでもないひとたちが、よけいに腹を立てているのだ。

つまり嫉妬とは、そういうものだ、と作者は考えている。分不相応な幸せを手にしたものに対して、その人と同じくらい分不相応の人間が、もっとも強く妬み（ねた）の気持ちを抱くのだ、と。

（『愛する源氏物語』俵万智著、文藝春秋、２００７年）

なるほど、と膝を打ちたくなる演奏だと思いませんか。たしかに、紫式部は『源氏物語』のなかで多種多様の嫉妬を描く。女たちの業としかいいようのない、恋情とともにある嫉妬を。そしてその描写は千年以上たった今もなお「うわあなるほど、嫉妬とはこういうものか」と新鮮に驚くほどキレッキレに鋭いのだけど、私は、ともするとその描写の鋭さに気づかずに読み飛ばしてしまう。

もちろん私が鈍いからなのだが、それでもプロの演奏者が見たとき、「ほら、この描写こそが紫式部の鋭さでしょう」と出してきてくれると、その鋭さを楽しむことができる。

　『源氏物語』の嫉妬の話でいうと、昔読んで面白かった解釈が、本書でも紹介している内田樹さんの六条の御息所（みやすどころ）についての解釈。けっこう調べたのだけどどうしても出典を見つけられなかったので、自分の記憶を頼りに書いてみる（ごめんなさい！）。六条の御息所といえば、『源氏物語』でも有名な「嫉妬のあまり生霊（いきりょう）となって他の女性を殺してしまった女」だ。六条の御息所といえば嫉妬深い女性の典型、という感じで、ただの感情が先走るキャラクターに思えがちである。しかし内田樹さんは言う。「六条の御息所は、自分の嫉妬心を自覚していなかった、自覚しようとしなかったからこそ、逆に生霊になるまで嫉妬心が大きくなってしまった」のだ、と。

　つまり、嫉妬心のようなわるい感情を、自分のものだと思わなかったこと。それこそが生霊の原因なのだ。たとえば六条の御息所が「まじ葵上（あおいのうえ）ファック、ファック」と声に出して叫ぶような女性であったら、おそらく生霊にはなっていなかったのではないか……。内田樹さんはそのように解釈していた。

　私はこの解釈を読んだとき、なるほどなあ、と感心した。嫉妬心が強すぎるがゆえに、人は生霊になるのではない。嫉妬心を持っているのに自覚しようとせず、その感情を自分のものとして引き受けることを拒否するからこそ、生霊にまでなってしまう。——千年前にこんな話を書けた紫式部は天才だなと思うし、この解釈を引き出してくれた内田さんの演奏もすごい。世の中のひとの大半は、おそらく六条の御息所は「嫉妬心が強すぎたがゆえに生霊になってしまった女性」くらいにしか読めず、それがどれほど自分と身近な存在であるかなんて気づかないのだ。私も含めて。

さて、こんなふうにただテキストを読んで解釈するだけでもプロの演奏は楽しめるけど、古典にはもっと強い演奏家がいる。それは「背景となる当時の事情を教えてくれる」、古典の歴史的研究をおこなっている研究者だ。

古典は、研究者の解説から当時の時代背景を知り、どんな文脈のなかで制作されたのか、を知ると、より面白く読むことができる。

たとえば、『源氏物語』の作者紫式部。彼女は一条天皇の后・彰子に仕えていたのだけど、彰子はかなり『源氏物語』制作に力を貸したことで知られている。彰子の力がなければ、あんな長い物語にはなっていなかっただろう。彰子から『源氏物語』の評判は広がり、その声は藤原道長にまで届く。しかし道長は、しょせんは物語、としか考えていなかった。

このあたりの事情を解説した山本淳子先生の『源氏物語の時代』の一節を紹介する。

紫式部によれば、『源氏物語』はこのころ彰子の座右にあり、道長も内容を知るほど評判の書だった。

道長様は、源氏の物語が彰子様の前にあるのをご覧になり、例によって戯れごとを言い出されたが、そのついでに、梅の下に敷いてあった紙にこうお書きになった。

すきものと名にし立てれば見る人の　祈らで過ぐるはあらじとぞ思ふ

梅はすっぱく美味なものと評判だから、見て手折らずに通り過ぎる人がない。同じように、『源氏物語』は好色なものとして評判だから、その作者のあなたを、見る人はさぞ口説かないではすまさないことだろうな。（『紫式部日記』年次不明記事による）

作品の内容と作者の性格とが混同されるのはありがちなことだ。恋愛小説の作者であるからには、よほど経験豊富な「恋多き女」なのだろう。道長はそう詠んで紫式部をからかったのだ。ここには当時の男性の基本的な『源氏物語』観が表れている。評判の高さは認めるものの、結局本質的にはそれまでの「古物語（ふるものがたり）」とそう違わない、軽いサブカルチャーだろうという感覚だ。

だが、一条の読後感は道長とは全く違っていた。前章で触れたように、『源氏物語』に『日本書紀』をはじめとする六国史への見識を看取し、手堅い知識や思想に裏付けられた書物と見抜いたというのである。

（『源氏物語の時代　一条天皇と后たちのものがたり』山本淳子著、朝日新聞出版、２００７年）

一条というのは、彰子の夫である一条天皇のことだ。彰子からすれば、夫が自分の愛読書である『源氏物語』の真価を見抜いてくれたことがどんなに嬉しかっただろう。なんせ、一条天皇に『源氏物語』を「読んで！」とプレゼントしたのは彰子なのだ。

男子を出産したばかりの彼女は、紫式部の『源氏物語』執筆を熱心に応援しつつ、その作品を夫にプレゼントしていた。そして夫はその面白さに気づいてくれた。この事実が、彼女たちの仲を深めたのではないか、と『源氏物語の時代』は解説する。

彰子は一条と向き合おうとした。その仲立ちに『源氏物語』は選ばれた。贈り主の心が報われるならば、一条は彰子を、大人の思慮と繊細な感受性を備えた女性として心に受け止めることだろう。そのとき二人の関係は、大きく深まるのではないか。少なくとも紫式部はそう考えたかった、だからこそ、ほかのどの書物にも記されない御冊子制作の事実を、自分の日記だけには書き留めずにいられなかったのではないか。私はそう考えている。

（同書）

紫式部の日記と歴史的事実から考えられる、『源氏物語』キューピッド説、である。なんていい話なんだと感動しませんか！　紫式部もうれしかったであろう……。これを知って『源氏物語』を読むと、よりいっそう、なぜ紫式部がこんなにも『源氏物語』を長く、そして深く書けたのか分かってくる。彼女には、ちゃんと待っててくれる読者がいたのだ。

古典作品は、ただ自分で読むだけで終わらせるよりも、プロの演奏家による解釈を読んだほうが数倍楽しい。もういっかい言うけど、自分で読んで終わりだなんて、うなぎをごはんなしで食べたようなもんだ。

たくさんのプロたちが読んでいた『源氏物語』を、あらゆる古典作品を、おいしく食べられる現代！　食べてみようよ、古典解釈。

読んだふりにしないコツ

1）古典を読む

2）古典の解説をしているプロを複数見つける

3）プロの解釈を楽しめば古典は百倍おいしい！

あとがき

もはや本文読んでくださった方にはバレバレだと思うのですが、本書はみんなに小説を面白く読むコツを伝授する、という名目で、私が「小説って面白いんだよ！　ほらー!!」と好きな小説について語りたいだけ語る本でありました。バレてましたかね。

なんだかんだ、小説を読むことはずっと好きで、いや漫画もドラマも映画もかなり好きだけど、でもやっぱり小説はいいよなあ、とずっと思っています。

ただ、なかなか周りの人に小説について語っても、どん引かれるのがオチなので。こうして小説についての本を書くことで、小説について語りたい欲を発散させているわけですね。うーん私利私欲。しかし私利私欲をどうにかこうにか、世のため人のためになるパッケージにすべく考えることもまた私の仕事なので。はい、私の私利私欲があなたの役に立っていることを切に切に願っている次第です。

本書を通して、あなたがちょっとでも小説を好きになってくれたら嬉しいです。

で、あとがきなので完全に個人的な懺悔をするのですが（あとがきってそういう場なので許してください）。まえがきで「昔の私は文学読んでもいまいちよく分かんなかったけど、今の私なら分かるぞ！」と書きまして。これ、あたかも自分の力によって文学を読めるようになったのかのように書いてあるんですけど。

実は、私が文学を読めるようになったのは、まったくもって私の力ではなく。単純に、文学研究のプロを育てるための養成所、つまりは大学院に通ったから、なんですね。

いやー、懺悔。私は大学院で教わったことを、本書に書いてあるにすぎないのです。あたかも自分が開発したかのように書いてごめん。

大学院の先生方からすれば「俺の著作権！」と思われるかもしれないのですが。まあ、うーん、でも誰もそれを本にしようとしてないし、私が本にしないと一生大学院の秘伝のタレで終わっちゃいそうだったんで、はい、許してください……。とここで懺悔しておきます。おいしいタレは外に出したほうがよくないですか。よくないですかね。

もちろん登場人物が覚えらんないとか、そんなのはアホな私が苦労した結果の技術ですが。しかしメタファーの話なんかは、どう考えても著作権は大学院にあります。うう、ごめんなさい。

でもいちおう言い訳をさせていただくと、それくらい（一冊の本を書かせるくらい）、私にとっては、大学院で教育されたことが衝撃的だったんですよ。自分の好きな小説が、こんなふうに、読み方ひとつで面白くなるんだ、変わるんだ！　って。

読むって、技術であり、センスであり、かんたんな行為じゃないんだな。

そう驚いたのが大学院だったので。まあ、その驚きの記録を本にしたわけです。ここでも私利私欲。ちょっとでも、本書を通してあなたにその驚きと感動が届くことを祈ってます。

さて、こんな私利私欲を一冊の本にしてくださった笠間書院さん、編集者の山口晶広さんに深く感謝申し上げます。原稿が遅れまくって山口さんから（涙）つきのメールが送られてきたときには切腹しようかと思いました。無事、本になってよかったです。

そして本書を読んでくださってるあなたと、そして紹介した本たちにも、めいっぱいの感謝を込めて！

２０２０年８月　　三宅香帆

三宅香帆
（みやけ かほ）

1994年生まれ。高知県出身。京都大学大学院人間・環境学研究科博士前期課程修了。大学院時代の専門は萬葉集。大学院在学中に書籍執筆を開始。現在は東京で会社員の傍ら、作家・書評家として活動中。
著書に『人生を狂わす名著50』（ライツ社）、『文芸オタクの私が教える　バズる文章教室』（サンクチュアリ出版）、『副作用あります!? 人生おたすけ処方本』（幻冬舎）、『妄想とツッコミでよむ万葉集』（大和書房）がある。

（読んだふりしたけど）ぶっちゃけよく分からん、あの名作小説を面白く読む方法

2020年9月25日　初版第1刷発行
2021年1月30日　初版第2刷発行

著者　三宅香帆
イラスト　芦野公平
発行者　池田圭子
発行所　笠間書院
〒101-0064
東京都千代田区神田猿楽町2-2-3
電話03-3295-1331
FAX03-3294-0996

ISBN 978-4-305-70928-8

アートディレクション ― 細山田光宣
装幀・デザイン ―― 鎌内文（細山田デザイン事務所）
本文組版 ―― キャップス
印刷／製本 ―― 大日本印刷